Para todos mis seguidores que sin ellos esto no sería posible eternamente agradecida con cada uno de ustedes.

A mis papás por apoyarme en todas mis locuras.

Mi hermano por ser familia *XD*.

Daniel Herrera por motivarme a seguir mis sueños.

Saúl Tello por todos los *outfits* increíbles que me ha creado.

Mis amigos por existir.

SOY
ABUN
DAN
CIA

Soy Abundancia
D.R. © 2023 | Priscy Escoto

1a edición, 2023 | Editorial Shanti Nilaya®
Diseño editorial: Editorial Shanti Nilaya®

ISBN | 978-1-961809-53-6

El proceso de corrección ortotipográfica de esta obra literaria fue realizado por el autor de manera independiente.

Santa Priscy Escoto
patrona del lujo y el gozo,
te rezo para que me llegue
la abundancia y mil bolsos
y lo que manifieste se cumpla,
se triplique y regrese a mi siempre.

Hecho está.

Bienvenid@ a TU guía para manifestar abundancia.

Te cuento que fue creada para atraer todo lo que siempre has deseado, plasmar tus sueños, agradecer las oportunidades que se han presentado en tu vida y motivarte a ser la mejor versión de ti mism@.

Lo que hace mágica a esta guía es que es completamente tuya. Así que no dudes en hacerla a tu estilo y llenarla de notas, sueños y metas.

Espero que al terminarla hayas logrado toda la abundancia que plasmaste en estas hojas y en el universo.

Que todo lo bueno te encuentre, te siga, te quiera y se quede contigo.

-Con Cariño,

Priscila Escoto.

ABUNDANCIA -.

Significado: Prosperidad en todos los aspectos de mi vida.

Ej. *Abundancia en mi vida, mi trabajo, mi economía y salud, en mis relaciones familiares, con mi pareja o amigos, etc.*

PRISCYNOTE:

Mi vida no es perfecta y está lejos de serla, por eso recuerda no romantizar la vida de los demás. Muchos piensan que todo me llega por arte de magia, pero en realidad nada pasa de la noche a la mañana. He trabajado duro para estar donde estoy y todavía me falta mucho por recorrer. Estoy consciente de lo que quiero y merezco, es por eso que todos los días despierto un paso más cerca de alcanzar mis metas.

Quiero que sepas que mi definición de abundancia va más allá del dinero (seguramente no te esperabas esto XD). En realidad, para mí ser abundante es ser rico en todos los aspectos de la vida.

Tal vez te preguntas por qué repito tanto la frase **"Soy abundancia, me lo merezco, todo se triplica, todo regresa a mi siempre"** cuando compro algo o cuando me pasan cosas buenas, aquí te explico por qué:

Número 1: A veces podemos sentir que no merecemos lo que tenemos o lo que nos pasa, cuando en realidad TODOS somos merecedores. Si te llegó esa oportunidad es por algo, **TE LA MERECES. ¡Créetela!**

Número 2: Es importante bendecir nuestros gastos, el dinero que se va y el dinero que llega. Al dinero hay que hablarle bonito, pero eso será un tema del que platicaremos en las próximas páginas...

Número 3: Agradece siempre, ya que parte importante de la abundancia es estar conscientes de lo afortunados que somos, **literalmente es dar las gracias por todo.**

Hoy agradezco que estés leyendo esta guía, espero que la disfrutes mucho y que todo lo bueno te encuentre, te siga, se triplique y se quede contigo.

BUSCA SER ABUNDANTE EN TODOS LOS ASPECTOS DE TU VIDA

@GRAXVIDA

"Busca ser abundante en todos los aspectos de tu vida"

Te comparto mi ejercicio favorito, esto es lo que yo hago todos los días para estar cerca de la abundancia y recordarme que soy protagonista de mi destino.

Manifiesta y agradece para que todo lo bueno te encuentre te siga se multiplique te quiera y se quede contigo.

Por aquí te enseño cómo debes llenar las siguientes páginas de esta guía.

Vacíate de pensamientos y emociones negativas.

YO SUELTO: la ansiedad

La vida es como una montaña rusa y soltar aquello que nos hizo sentir tristes, angustiados, frustrados, inconformes, incómodos, enojados... Nos da la fuerza para avanzar hacia una vida aesthetic.

Agradece porque la abundancia ya está contigo

YO AGRADEZCO: mi trabajo

La gratitud es la mejor actitud para recibir abundancia. Da las gracias de absolutamente todo lo que has tenido y de lo que está por venir. Toma conciencia de lo que eres y has logrado, aprecia tu presente para caminar hacia tu abundante futuro.

"Busca ser abundante en todos los aspectos de tu vida"

Reconoce quién eres y visualiza tu abundancia.

YO SOY: abundancia

Defínete como la persona maravillosa que eres y lo que quieres que los otros perciban al estar cerca de ti.

YO TENGO: mi bolsa Birkin de Hermes en color vert criquet

Afirma lo que anhelas tener.

YO ESTOY: en paz

Plantéate hoy en dónde quieres estar.

META DE HOY: terminar de grabar 5 videos para subir contenido a mis redes.

Proponte una meta todos los días.

Decretar en presente y positivo nos acerca a la abundancia y nos ayuda a visualizarnos donde queremos estar. Ponte un objetivo a corto plazo, que sea alcanzable y medible, pero que sobre todo te motive a vivir agradecido y abundantemente feliz.

"Yo soy abundancia, me lo merezco, todo se triplica, todo regresa a mi siempre"

.- Priscy Escoto

APROVECHA
CADA
INSTANTE
@GRAXVIDA

"Aprovecha cada instante"

Vacíate de pensamientos y emociones negativas.

YO SUELTO: ______________________________

____

Agradece porque la abundancia ya está contigo.

YO AGRADEZCO: ______________________________

____

Reconoce quién eres y visualiza tu abundancia.

YO SOY: ______________________________

____

YO TENGO: ______________________________

____

YO ESTOY: ______________________________

____

META DE HOY: ______________________________

____

"Yo soy abundancia, me lo merezco, todo se triplica, todo regresa a mi siempre"

"Aprovecha cada instante"

Vacíate de pensamientos y emociones negativas.

YO SUELTO: ______________________________

____

Agradece porque la abundancia ya está contigo.

YO AGRADEZCO: ___________________________

____

Reconoce quién eres y visualiza tu abundancia.

YO SOY: ________________________________

____

YO TENGO: ______________________________

____

YO ESTOY: ______________________________

____

META DE HOY: ____________________________

____

"Yo soy abundancia, me lo merezco, todo se triplica,
todo regresa a mi siempre"

"Aprovecha cada instante"

Vacíate de pensamientos y emociones negativas.

YO SUELTO: ______________________________

____

Agradece porque la abundancia ya está contigo.

YO AGRADEZCO: ______________________________

____

Reconoce quién eres y visualiza tu abundancia.

YO SOY: ______________________________

____

YO TENGO: ______________________________

____

YO ESTOY: ______________________________

____

META DE HOY: ______________________________

____

"Yo soy abundancia, me lo merezco, todo se triplica, todo regresa a mi siempre"

"Aprovecha cada instante"

Vacíate de pensamientos y emociones negativas.

YO SUELTO: ____________________

____

Agradece porque la abundancia ya está contigo.

YO AGRADEZCO: ____________________

____

Reconoce quién eres y visualiza tu abundancia.

YO SOY: ____________________

____

YO TENGO: ____________________

____

YO ESTOY: ____________________

____

META DE HOY: ____________________

____

"Yo soy abundancia, me lo merezco, todo se triplica, todo regresa a mi siempre"

"Aprovecha cada instante"

Vacíate de pensamientos y emociones negativas.

YO SUELTO: ____________________

____

Agradece porque la abundancia ya está contigo.

YO AGRADEZCO: ____________________

____

Reconoce quién eres y visualiza tu abundancia.

YO SOY: ____________________

____

YO TENGO: ____________________

____

YO ESTOY: ____________________

____

META DE HOY: ____________________

____

"Yo soy abundancia, me lo merezco, todo se triplica, todo regresa a mi siempre"

TÓMATE 5 MIN PARA TÍ.

AGRADECE TU VIDA Y VISUALIZA TU DÍA.

ACTIVIDAD 1

"Lo merezco y lo atraigo"

Si quieres cumplir lo que sueñas hay que ser claros con el universo. Aquí debes plantear tus objetivos, no importa cuáles sean, siéntete libre, no hay ideas locas.

*Acuérdate que lo que plasmas en esta guía tiene el poder de cumplirse.

Te comparto como yo hago este ejercicio:

META FINAL: crear mi libro "Soy Abundancia"

☐ OBJETIVO 1: Definir el concepto y finalidad del proyecto

☐ OBJETIVO 2: Encontrar un equipo de trabajo

☐ OBJETIVO 3: Desarrollar branding, textos e ilustraciones

☐ OBJETIVO 4: Realizar el diseño editorial

☐ OBJETIVO 5: cotizar con imprenta

☐ OBJETIVO 6: imprimir

☐ OBJETIVO 7: Llevar a cabo estrategia de lanzamiento y distribución.

ACTIVIDAD 7

"Lo merezco y lo atraigo"

Ahora te toca a ti hacerlo aquí:

PRISCYNOTE:

Algo que a mi me funciona mucho es ponerme metas a corto plazo, ya que me acercan y me motivan a lograr mis objetivos. Muchas veces al ponernos metas largas nos frustramos y tiramos la toalla a la mitad del camino. Cumplir cada uno de estos pequeños retos te motivará a alcanzar el siguiente.

META FINAL: ____________________

- ☐ **OBJETIVO 1:** ____________________
- ☐ **OBJETIVO 2:** ____________________
- ☐ **OBJETIVO 3:** ____________________
- ☐ **OBJETIVO 4:** ____________________
- ☐ **OBJETIVO 5:** ____________________
- ☐ **OBJETIVO 6:** ____________________
- ☐ **OBJETIVO 7:** ____________________

____

BRILLAR
AL CAMINAR
ES DEJAR
HUELLA AL
PASAR
@GRAXVIDA

“Brillar al caminar es dejar huella al pasar”

"Brillar al caminar es dejar huella al pasar"

Vacíate de pensamientos y emociones negativas.

YO SUELTO: ______________________________

____

Agradece porque la abundancia ya está contigo.

YO AGRADEZCO: ___________________________

____

Reconoce quién eres y visualiza tu abundancia.

YO SOY: ________________________________

____

YO TENGO: ______________________________

____

YO ESTOY: ______________________________

____

META DE HOY: ___________________________

____

"Yo soy abundancia, me lo merezco, todo se triplica,
todo regresa a mi siempre"

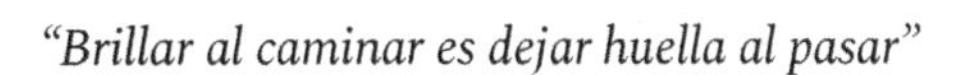

"Brillar al caminar es dejar huella al pasar"

Vacíate de pensamientos y emociones negativas.

YO SUELTO: ______________________________

____

Agradece porque la abundancia ya está contigo.

YO AGRADEZCO: ___________________________

____

Reconoce quién eres y visualiza tu abundancia.

YO SOY: ________________________________

____

YO TENGO: ______________________________

____

YO ESTOY: ______________________________

____

META DE HOY: ____________________________

____

"Yo soy abundancia, me lo merezco, todo se triplica, todo regresa a mi siempre"

"Brillar al caminar es dejar huella al pasar"

Vacíate de pensamientos y emociones negativas.

YO SUELTO: ______________________________

____

Agradece porque la abundancia ya está contigo.

YO AGRADEZCO: ______________________________

____

Reconoce quién eres y visualiza tu abundancia.

YO SOY: ______________________________

____

YO TENGO: ______________________________

____

YO ESTOY: ______________________________

____

META DE HOY: ______________________________

____

"Yo soy abundancia, me lo merezco, todo se triplica, todo regresa a mi siempre"

"Brillar al caminar es dejar huella al pasar"

Vacíate de pensamientos y emociones negativas.

YO SUELTO: ______________________________

____

Agradece porque la abundancia ya está contigo.

YO AGRADEZCO: ___________________________

____

Reconoce quién eres y visualiza tu abundancia.

YO SOY: ________________________________

____

YO TENGO: ______________________________

____

YO ESTOY: ______________________________

____

META DE HOY: ___________________________

____

"Yo soy abundancia, me lo merezco, todo se triplica, todo regresa a mi siempre"

que todo
lo que elija
hoy me lleve
a SER la
mejoR versión
de mi

@GRAXVIDA

“Que todo lo que elija hoy me lleve a ser la mejor versión de mi”

"Que todo lo que elija hoy me lleve a ser la mejor versión de mi"

Vacíate de pensamientos y emociones negativas.

YO SUELTO: ______________________________

____

Agradece porque la abundancia ya está contigo.

YO AGRADEZCO: ______________________________

____

Reconoce quién eres y visualiza tu abundancia.

YO SOY: ______________________________

____

YO TENGO: ______________________________

____

YO ESTOY: ______________________________

____

META DE HOY: ______________________________

____

"Yo soy abundancia, me lo merezco, todo se triplica,
todo regresa a mi siempre"

"Que todo lo que elija hoy me lleve a ser la mejor versión de mi"

Vacíate de pensamientos y emociones negativas.

YO SUELTO: ______________________________

____

Agradece porque la abundancia ya está contigo.

YO AGRADEZCO: ___________________________

____

Reconoce quién eres y visualiza tu abundancia.

YO SOY: _________________________________

____

YO TENGO: _______________________________

____

YO ESTOY: _______________________________

____

META DE HOY: ____________________________

____

"Yo soy abundancia, me lo merezco, todo se triplica,
todo regresa a mi siempre"

"Que todo lo que elija hoy me lleve a ser la mejor versión de mi"

Vacíate de pensamientos y emociones negativas.

YO SUELTO: ______________________________

____

Agradece porque la abundancia ya está contigo.

YO AGRADEZCO: ___________________________

____

Reconoce quién eres y visualiza tu abundancia.

YO SOY: _________________________________

____

YO TENGO: _______________________________

____

YO ESTOY: _______________________________

____

META DE HOY: ____________________________

____

"Yo soy abundancia, me lo merezco, todo se triplica, todo regresa a mi siempre"

"Que todo lo que elija hoy me lleve a ser la mejor versión de mi"

Vacíate de pensamientos y emociones negativas.

YO SUELTO: ______________________________

____

Agradece porque la abundancia ya está contigo.

YO AGRADEZCO: ______________________________

____

Reconoce quién eres y visualiza tu abundancia.

YO SOY: ______________________________

____

YO TENGO: ______________________________

____

YO ESTOY: ______________________________

____

META DE HOY: ______________________________

____

"Yo soy abundancia, me lo merezco, todo se triplica, todo regresa a mi siempre"

Empieza
por el ser
luego por
el hacer
y todo
llegará
@GRAXVIDA

“Empieza por el ser luego por el hacer y todo llegará”

"Empieza por el ser luego por el hacer y todo llegará"

Vacíate de pensamientos y emociones negativas.

YO SUELTO: ______________________________

____

Agradece porque la abundancia ya está contigo.

YO AGRADEZCO: ______________________________

____

Reconoce quién eres y visualiza tu abundancia.

YO SOY: ______________________________

____

YO TENGO: ______________________________

____

YO ESTOY: ______________________________

____

META DE HOY: ______________________________

____

"Yo soy abundancia, me lo merezco, todo se triplica,
todo regresa a mi siempre"

TIP 2

HÁBLATE BONITO FRENTE AL ESPEJO

"Empieza por el ser luego por el hacer y todo llegará"

Vacíate de pensamientos y emociones negativas.

YO SUELTO: ______________________________

____

Agradece porque la abundancia ya está contigo.

YO AGRADEZCO: ______________________________

____

Reconoce quién eres y visualiza tu abundancia.

YO SOY: ______________________________

____

YO TENGO: ______________________________

____

YO ESTOY: ______________________________

____

META DE HOY: ______________________________

____

"Yo soy abundancia, me lo merezco, todo se triplica,
todo regresa a mi siempre"

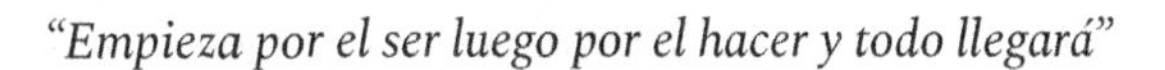

"Empieza por el ser luego por el hacer y todo llegará"

Vacíate de pensamientos y emociones negativas.

YO SUELTO: ______________________________

____

Agradece porque la abundancia ya está contigo.

YO AGRADEZCO: ______________________________

____

Reconoce quién eres y visualiza tu abundancia.

YO SOY: ______________________________

____

YO TENGO: ______________________________

____

YO ESTOY: ______________________________

____

META DE HOY: ______________________________

____

"Yo soy abundancia, me lo merezco, todo se triplica, todo regresa a mi siempre"

"Empieza por el ser luego por el hacer y todo llegará"

Vacíate de pensamientos y emociones negativas.

YO SUELTO: ______________________________

____

Agradece porque la abundancia ya está contigo.

YO AGRADEZCO: ______________________________

____

Reconoce quién eres y visualiza tu abundancia.

YO SOY: ______________________________

____

YO TENGO: ______________________________

____

YO ESTOY: ______________________________

____

META DE HOY: ______________________________

____

"Yo soy abundancia, me lo merezco, todo se triplica, todo regresa a mi siempre"

EL
UNIVERSO
ESTÁ
CONMIGO
LA
ABUNDANCIA
ME
ACOMPAÑA
@GRAXVIDA

"El universo está conmigo la abundancia me acompaña"

Vacíate de pensamientos y emociones negativas.

YO SUELTO: ______________________________

____

Agradece porque la abundancia ya está contigo.

YO AGRADEZCO: ______________________________

____

Reconoce quién eres y visualiza tu abundancia.

YO SOY: ______________________________

____

YO TENGO: ______________________________

____

YO ESTOY: ______________________________

____

META DE HOY: ______________________________

____

"Yo soy abundancia, me lo merezco, todo se triplica, todo regresa a mi siempre"

"El universo está conmigo la abundancia me acompaña"

Vacíate de pensamientos y emociones negativas.

YO SUELTO: ______________________________

____

Agradece porque la abundancia ya está contigo.

YO AGRADEZCO: ______________________________

____

Reconoce quién eres y visualiza tu abundancia.

YO SOY: ______________________________

____

YO TENGO: ______________________________

____

YO ESTOY: ______________________________

____

META DE HOY: ______________________________

____

"Yo soy abundancia, me lo merezco, todo se triplica, todo regresa a mi siempre"

"El universo está conmigo la abundancia me acompaña"

Vacíate de pensamientos y emociones negativas.

YO SUELTO: ______________________

____

Agradece porque la abundancia ya está contigo.

YO AGRADEZCO: ______________________

____

Reconoce quién eres y visualiza tu abundancia.

YO SOY: ______________________

____

YO TENGO: ______________________

____

YO ESTOY: ______________________

____

META DE HOY: ______________________

____

"Yo soy abundancia, me lo merezco, todo se triplica, todo regresa a mi siempre"

"El universo está conmigo la abundancia me acompaña"

Vacíate de pensamientos y emociones negativas.

YO SUELTO: ______________________________

____

Agradece porque la abundancia ya está contigo.

YO AGRADEZCO: ______________________________

____

Reconoce quién eres y visualiza tu abundancia.

YO SOY: ______________________________

____

YO TENGO: ______________________________

____

YO ESTOY: ______________________________

____

META DE HOY: ______________________________

____

"Yo soy abundancia, me lo merezco, todo se triplica, todo regresa a mi siempre"

"El universo está conmigo la abundancia me acompaña"

Vacíate de pensamientos y emociones negativas.

YO SUELTO: ______________________

____

Agradece porque la abundancia ya está contigo.

YO AGRADEZCO: ______________________

____

Reconoce quién eres y visualiza tu abundancia.

YO SOY: ______________________

____

YO TENGO: ______________________

____

YO ESTOY: ______________________

____

META DE HOY: ______________________

____

"Yo soy abundancia, me lo merezco, todo se triplica,
todo regresa a mi siempre"

ESTO
APENAS
ES EL
COMIENZO
DE LO QUE
MEREZCO
@GRAXVIDA

"Esto apenas es el comienzo de lo que merezco"

Vacíate de pensamientos y emociones negativas.

YO SUELTO: ______________________________

____

Agradece porque la abundancia ya está contigo.

YO AGRADEZCO: __________________________

____

Reconoce quién eres y visualiza tu abundancia.

YO SOY: ________________________________

____

YO TENGO: ______________________________

____

YO ESTOY: ______________________________

____

META DE HOY: ___________________________

____

"Yo soy abundancia, me lo merezco, todo se triplica, todo regresa a mi siempre"

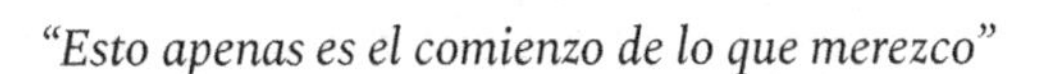

“Esto apenas es el comienzo de lo que merezco”

Vacíate de pensamientos y emociones negativas.

YO SUELTO: ______________________________

____

Agradece porque la abundancia ya está contigo.

YO AGRADEZCO: ______________________________

____

Reconoce quién eres y visualiza tu abundancia.

YO SOY: ______________________________

____

YO TENGO: ______________________________

____

YO ESTOY: ______________________________

____

META DE HOY: ______________________________

____

“Yo soy abundancia, me lo merezco, todo se triplica,
todo regresa a mi siempre”

"Esto apenas es el comienzo de lo que merezco"

Vacíate de pensamientos y emociones negativas.

YO SUELTO: ______________________________

____

Agradece porque la abundancia ya está contigo.

YO AGRADEZCO: ______________________________

____

Reconoce quién eres y visualiza tu abundancia.

YO SOY: ______________________________

____

YO TENGO: ______________________________

____

YO ESTOY: ______________________________

____

META DE HOY: ______________________________

____

"Yo soy abundancia, me lo merezco, todo se triplica, todo regresa a mi siempre"

"Esto apenas es el comienzo de lo que merezco"

Vacíate de pensamientos y emociones negativas.

YO SUELTO: ______________________________

____

Agradece porque la abundancia ya está contigo.

YO AGRADEZCO: ___________________________

____

Reconoce quién eres y visualiza tu abundancia.

YO SOY: ________________________________

____

YO TENGO: ______________________________

____

YO ESTOY: ______________________________

____

META DE HOY: ____________________________

____

"Yo soy abundancia, me lo merezco, todo se triplica,
todo regresa a mi siempre"

"Esto apenas es el comienzo de lo que merezco"

Vacíate de pensamientos y emociones negativas.

YO SUELTO: ______________________________

____

Agradece porque la abundancia ya está contigo.

YO AGRADEZCO: ______________________________

____

Reconoce quién eres y visualiza tu abundancia.

YO SOY: ______________________________

____

YO TENGO: ______________________________

____

YO ESTOY: ______________________________

____

META DE HOY: ______________________________

____

"Yo soy abundancia, me lo merezco, todo se triplica,
todo regresa a mi siempre"

ACTIVIDAD ②

"Mi compromiso conmigo; plan de ahorro efectivo"

A todos nos gusta disfrutar de los pequeños y grandes placeres de la vida. Seguramente hay algo que siempre te has querido comprar, un viaje que has soñado con hacer, un regalo que te encantaría dar, etc. Es por eso que en esta vida hay que trabajarle y ahorrarle con ganas (además de recordar lo que siempre dice mi papá "no gastes más de lo que ganas").

Con la mente puesta en un objetivo claro todo se convierte en abundancia.

Te comparto como yo hago este ejercicio:

ESTOS AHORROS SON PARA: Backpack Chanel

MONTO QUE DESEO AHORRAR: $100,000 MXN

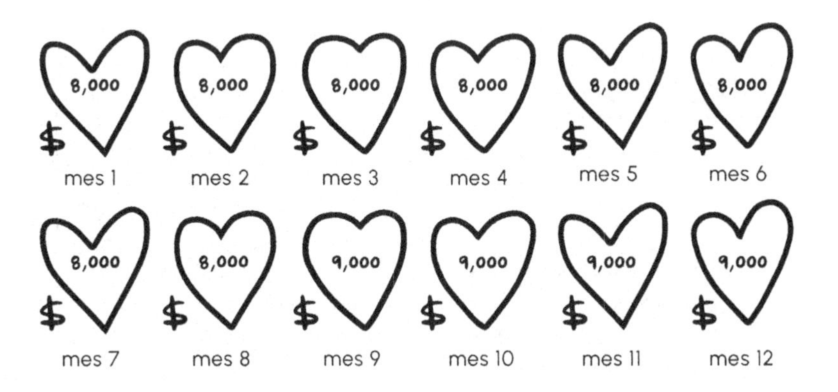

ACTIVIDAD 2

"Mi compromiso conmigo; plan de ahorro efectivo"

Todo el dinero que voy a ahorrar se va a multiplicar.
Anota en cada corazón el monto que vas a ahorrar cada mes durante el año.

ESTOS AHORROS SON PARA: ____________________

MONTO QUE DESEO AHORRAR: $ ____________________

$	$	$	$	$	$
mes 1	mes 2	mes 3	mes 4	mes 5	mes 6
$	$	$	$	$	$
mes 7	mes 8	mes 9	mes 10	mes 11	mes 12

PRISCYNOTE:

Unas cosas por otras. Por aquí te comparto algunos ejemplos de gastos que podemos evitar para ahorrar y disfrutar (recuerda que son montos aproximados).

- ☐ 1 Café frappe - ***ahorro $100***
- ☐ 1 Ida al cine con mi pareja o amigos - ***ahorro $350***
- ☐ 1 Helado de yogurt - ***ahorro $150***
- ☐ 1 Vape - ***ahorro $350***
- ☐ 1 Mani y pedi - ***ahorro $700***
- ☐ Salidas entre semana - ***ahorro $500***
- ☐ Outfit para un evento o salida (Fast fashion) - ***ahorro $2,000***

ERES
ABUNDANTEMENTE
FUERTE
@GRAXVIDA

"Eres abundantemente fuerte"

Vacíate de pensamientos y emociones negativas.

YO SUELTO: ____________________

____

Agradece porque la abundancia ya está contigo.

YO AGRADEZCO: ____________________

____

Reconoce quién eres y visualiza tu abundancia.

YO SOY: ____________________

____

YO TENGO: ____________________

____

YO ESTOY: ____________________

____

META DE HOY: ____________________

____

"Yo soy abundancia, me lo merezco, todo se triplica, todo regresa a mi siempre"

"Eres abundantemente fuerte"

Vacíate de pensamientos y emociones negativas.

YO SUELTO: ______________________________

____

Agradece porque la abundancia ya está contigo.

YO AGRADEZCO: ______________________________

____

Reconoce quién eres y visualiza tu abundancia.

YO SOY: ______________________________

____

YO TENGO: ______________________________

____

YO ESTOY: ______________________________

____

META DE HOY: ______________________________

____

"Yo soy abundancia, me lo merezco, todo se triplica, todo regresa a mi siempre"

"Eres abundantemente fuerte"

Vacíate de pensamientos y emociones negativas.

YO SUELTO: ____________________

____

Agradece porque la abundancia ya está contigo.

YO AGRADEZCO: ____________________

____

Reconoce quién eres y visualiza tu abundancia.

YO SOY: ____________________

____

YO TENGO: ____________________

____

YO ESTOY: ____________________

____

META DE HOY: ____________________

____

"Yo soy abundancia, me lo merezco, todo se triplica, todo regresa a mi siempre"

TIP 3

NO TE AFERRES
CON LO LEJANO

COMPROMÉTETE
CONTIGO PARA
ALCANZAR LO
QUE ANHELAS
A CORTO PLAZO

PON FECHA,
DÍA Y HORA

"Eres abundantemente fuerte"

Vacíate de pensamientos y emociones negativas.

YO SUELTO: ______________________________

____

Agradece porque la abundancia ya está contigo.

YO AGRADEZCO: __________________________

____

Reconoce quién eres y visualiza tu abundancia.

YO SOY: _________________________________

____

YO TENGO: _______________________________

____

YO ESTOY: _______________________________

____

META DE HOY: ____________________________

____

"Yo soy abundancia, me lo merezco, todo se triplica,
todo regresa a mi siempre"

"Eres abundantemente fuerte"

Vacíate de pensamientos y emociones negativas.

YO SUELTO: ________________

____

Agradece porque la abundancia ya está contigo.

YO AGRADEZCO: ________________

____

Reconoce quién eres y visualiza tu abundancia.

YO SOY: ________________

____

YO TENGO: ________________

____

YO ESTOY: ________________

____

META DE HOY: ________________

____

"Yo soy abundancia, me lo merezco, todo se triplica, todo regresa a mi siempre"

"Eres abundantemente fuerte"

Vacíate de pensamientos y emociones negativas.

YO SUELTO: ____________________

____

Agradece porque la abundancia ya está contigo.

YO AGRADEZCO: ____________________

____

Reconoce quién eres y visualiza tu abundancia.

YO SOY: ____________________

____

YO TENGO: ____________________

____

YO ESTOY: ____________________

____

META DE HOY: ____________________

____

"Yo soy abundancia, me lo merezco, todo se triplica, todo regresa a mi siempre"

AL QUE OBRA BIEN LE VA BIEN

(RECUERDA QUE TODO REGRESA Y SE MULTIPLICA)

@GRAXVIDA

"Al que obra bien le va bien (recuerda que todo regresa y se multiplica)"

Vacíate de pensamientos y emociones negativas.

YO SUELTO: ______________________________

____

Agradece porque la abundancia ya está contigo.

YO AGRADEZCO: ______________________________

____

Reconoce quién eres y visualiza tu abundancia.

YO SOY: ______________________________

____

YO TENGO: ______________________________

____

YO ESTOY: ______________________________

____

META DE HOY: ______________________________

____

"Yo soy abundancia, me lo merezco, todo se triplica, todo regresa a mi siempre"

"Al que obra bien le va bien (recuerda que todo regresa y se multiplica)"

Vacíate de pensamientos y emociones negativas.

YO SUELTO: ______________________________

____

Agradece porque la abundancia ya está contigo.

YO AGRADEZCO: ______________________________

____

Reconoce quién eres y visualiza tu abundancia.

YO SOY: ______________________________

____

YO TENGO: ______________________________

____

YO ESTOY: ______________________________

____

META DE HOY: ______________________________

____

"Yo soy abundancia, me lo merezco, todo se triplica,
todo regresa a mi siempre"

"Al que obra bien le va bien (recuerda que todo regresa y se multiplica)"

Vacíate de pensamientos y emociones negativas.

YO SUELTO: ____________________

____

Agradece porque la abundancia ya está contigo.

YO AGRADEZCO: ____________________

____

Reconoce quién eres y visualiza tu abundancia.

YO SOY: ____________________

____

YO TENGO: ____________________

____

YO ESTOY: ____________________

____

META DE HOY: ____________________

____

*"Yo soy abundancia, me lo merezco, todo se triplica,
todo regresa a mi siempre"*

"Al que obra bien le va bien (recuerda que todo regresa y se multiplica)"

Vacíate de pensamientos y emociones negativas.

YO SUELTO: ______________________________

____

Agradece porque la abundancia ya está contigo.

YO AGRADEZCO: ______________________________

____

Reconoce quién eres y visualiza tu abundancia.

YO SOY: ______________________________

____

YO TENGO: ______________________________

____

YO ESTOY: ______________________________

____

META DE HOY: ______________________________

____

"Yo soy abundancia, me lo merezco, todo se triplica, todo regresa a mi siempre"

"Al que obra bien le va bien (recuerda que todo regresa y se multiplica)"

Vacíate de pensamientos y emociones negativas.

YO SUELTO: ______________________

____

Agradece porque la abundancia ya está contigo.

YO AGRADEZCO: ______________________

____

Reconoce quién eres y visualiza tu abundancia.

YO SOY: ______________________

____

YO TENGO: ______________________

____

YO ESTOY: ______________________

____

META DE HOY: ______________________

____

"Yo soy abundancia, me lo merezco, todo se triplica, todo regresa a mi siempre"

QUE LO QUE
TE GUSTE TE
MOTIVE, QUE LO
QUE TE MOTIVE
TE IMPULSE Y
QUE LO QUE TE
IMPULSE TE LLENE
DE PODER

@GRAXVIDA

"Que lo que te guste te motive, que lo que te motive te impulse y que lo que te impulse te llene de poder"

Vacíate de pensamientos y emociones negativas.

YO SUELTO: ______________________

____

Agradece porque la abundancia ya está contigo.

YO AGRADEZCO: ______________________

____

Reconoce quién eres y visualiza tu abundancia.

YO SOY: ______________________

____

YO TENGO: ______________________

____

YO ESTOY: ______________________

____

META DE HOY: ______________________

____

"Yo soy abundancia, me lo merezco, todo se triplica, todo regresa a mi siempre"

"Que lo que te guste te motive, que lo que te motive te impulse y que lo que te impulse te llene de poder"

Vacíate de pensamientos y emociones negativas.

YO SUELTO: ______________________________

____

Agradece porque la abundancia ya está contigo.

YO AGRADEZCO: ______________________________

____

Reconoce quién eres y visualiza tu abundancia.

YO SOY: ______________________________

____

YO TENGO: ______________________________

____

YO ESTOY: ______________________________

____

META DE HOY: ______________________________

____

"Yo soy abundancia, me lo merezco, todo se triplica, todo regresa a mi siempre"

"Que lo que te guste te motive, que lo que te motive te impulse y que lo que te impulse te llene de poder"

Vacíate de pensamientos y emociones negativas.

YO SUELTO: ______________________________

____

Agradece porque la abundancia ya está contigo.

YO AGRADEZCO: ______________________________

____

Reconoce quién eres y visualiza tu abundancia.

YO SOY: ______________________________

____

YO TENGO: ______________________________

____

YO ESTOY: ______________________________

____

META DE HOY: ______________________________

____

"Yo soy abundancia, me lo merezco, todo se triplica, todo regresa a mi siempre"

"Que lo que te guste te motive, que lo que te motive te impulse y que lo que te impulse te llene de poder"

Vacíate de pensamientos y emociones negativas.

YO SUELTO: ______________________________

____

Agradece porque la abundancia ya está contigo.

YO AGRADEZCO: ______________________________

____

Reconoce quién eres y visualiza tu abundancia.

YO SOY: ______________________________

____

YO TENGO: ______________________________

____

YO ESTOY: ______________________________

____

META DE HOY: ______________________________

____

"Yo soy abundancia, me lo merezco, todo se triplica, todo regresa a mi siempre"

"Que lo que te guste te motive, que lo que te motive te impulse y que lo que te impulse te llene de poder"

Vacíate de pensamientos y emociones negativas.

YO SUELTO: ______________________________

____

Agradece porque la abundancia ya está contigo.

YO AGRADEZCO: ______________________________

____

Reconoce quién eres y visualiza tu abundancia.

YO SOY: ______________________________

____

YO TENGO: ______________________________

____

YO ESTOY: ______________________________

____

META DE HOY: ______________________________

____

"Yo soy abundancia, me lo merezco, todo se triplica, todo regresa a mi siempre"

todo
es posible
siempre
que
confies

@GRAXVIDA

"Todo es posible siempre que confíes"

Vacíate de pensamientos y emociones negativas.

YO SUELTO: ______________________________

____

Agradece porque la abundancia ya está contigo.

YO AGRADEZCO: ______________________________

____

Reconoce quién eres y visualiza tu abundancia.

YO SOY: ______________________________

____

YO TENGO: ______________________________

____

YO ESTOY: ______________________________

____

META DE HOY: ______________________________

____

"Yo soy abundancia, me lo merezco, todo se triplica,
todo regresa a mi siempre"

"Todo es posible siempre que confíes"

Vacíate de pensamientos y emociones negativas.

YO SUELTO: ______________________________

____

Agradece porque la abundancia ya está contigo.

YO AGRADEZCO: ______________________________

____

Reconoce quién eres y visualiza tu abundancia.

YO SOY: ______________________________

____

YO TENGO: ______________________________

____

YO ESTOY: ______________________________

____

META DE HOY: ______________________________

____

"Yo soy abundancia, me lo merezco, todo se triplica,
todo regresa a mi siempre"

"Todo es posible siempre que confíes"

Vacíate de pensamientos y emociones negativas.

YO SUELTO: ______________________________

____

Agradece porque la abundancia ya está contigo.

YO AGRADEZCO: ______________________________

____

Reconoce quién eres y visualiza tu abundancia.

YO SOY: ______________________________

____

YO TENGO: ______________________________

____

YO ESTOY: ______________________________

____

META DE HOY: ______________________________

____

"Yo soy abundancia, me lo merezco, todo se triplica, todo regresa a mi siempre"

TIP 4

DATE LA OPORTUNIDAD DE BRILLAR

"Todo es posible siempre que confíes"

Vacíate de pensamientos y emociones negativas.

YO SUELTO: ______________________________

____

Agradece porque la abundancia ya está contigo.

YO AGRADEZCO: ______________________________

____

Reconoce quién eres y visualiza tu abundancia.

YO SOY: ______________________________

____

YO TENGO: ______________________________

____

YO ESTOY: ______________________________

____

META DE HOY: ______________________________

____

"Yo soy abundancia, me lo merezco, todo se triplica, todo regresa a mi siempre"

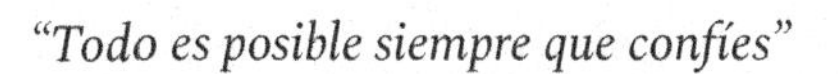

"Todo es posible siempre que confíes"

Vacíate de pensamientos y emociones negativas.

YO SUELTO: ______________________________

____

Agradece porque la abundancia ya está contigo.

YO AGRADEZCO: ______________________________

____

Reconoce quién eres y visualiza tu abundancia.

YO SOY: ______________________________

____

YO TENGO: ______________________________

____

YO ESTOY: ______________________________

____

META DE HOY: ______________________________

____

"Yo soy abundancia, me lo merezco, todo se triplica, todo regresa a mi siempre"

"Todo es posible siempre que confíes"

Vacíate de pensamientos y emociones negativas.

YO SUELTO: ______________________

____

Agradece porque la abundancia ya está contigo.

YO AGRADEZCO: ______________________

____

Reconoce quién eres y visualiza tu abundancia.

YO SOY: ______________________

____

YO TENGO: ______________________

____

YO ESTOY: ______________________

____

META DE HOY: ______________________

____

"Yo soy abundancia, me lo merezco, todo se triplica, todo regresa a mi siempre"

AGRADEZCO
* LO QUE SOY
* LO QUE FUI
* LO QUE SERÉ
@GRAXVIDA

*"Agradezco *lo que soy *lo que fuí *lo que seré"*

Vacíate de pensamientos y emociones negativas.

YO SUELTO: ______________________________

____

Agradece porque la abundancia ya está contigo.

YO AGRADEZCO: ______________________________

____

Reconoce quién eres y visualiza tu abundancia.

YO SOY: ______________________________

____

YO TENGO: ______________________________

____

YO ESTOY: ______________________________

____

META DE HOY: ______________________________

____

"Yo soy abundancia, me lo merezco, todo se triplica,
todo regresa a mi siempre"

*"Agradezco *lo que soy *lo que fuí *lo que seré"*

Vacíate de pensamientos y emociones negativas.

YO SUELTO: ______________________

____

Agradece porque la abundancia ya está contigo.

YO AGRADEZCO: ______________________

____

Reconoce quién eres y visualiza tu abundancia.

YO SOY: ______________________

____

YO TENGO: ______________________

____

YO ESTOY: ______________________

____

META DE HOY: ______________________

____

"Yo soy abundancia, me lo merezco, todo se triplica, todo regresa a mi siempre"

*"Agradezco *lo que soy *lo que fuí *lo que seré"*

Vacíate de pensamientos y emociones negativas.

YO SUELTO: ________________________________

____

Agradece porque la abundancia ya está contigo.

YO AGRADEZCO: ____________________________

____

Reconoce quién eres y visualiza tu abundancia.

YO SOY: __________________________________

____

YO TENGO: ________________________________

____

YO ESTOY: ________________________________

____

META DE HOY: ______________________________

____

"Yo soy abundancia, me lo merezco, todo se triplica, todo regresa a mi siempre"

*"Agradezco *lo que soy *lo que fuí *lo que seré"*

Vacíate de pensamientos y emociones negativas.

YO SUELTO: ______________________________

____

Agradece porque la abundancia ya está contigo.

YO AGRADEZCO: ___________________________

____

Reconoce quién eres y visualiza tu abundancia.

YO SOY: ________________________________

____

YO TENGO: ______________________________

____

YO ESTOY: ______________________________

____

META DE HOY: ____________________________

____

"Yo soy abundancia, me lo merezco, todo se triplica, todo regresa a mi siempre"

*"Agradezco *lo que soy *lo que fuí *lo que seré"*

Vacíate de pensamientos y emociones negativas.

YO SUELTO: ______________________________

____

〰〰〰〰〰〰〰〰〰〰〰〰〰〰〰〰〰〰〰〰

Agradece porque la abundancia ya está contigo.

YO AGRADEZCO: ______________________________

____

〰〰〰〰〰〰〰〰〰〰〰〰〰〰〰〰〰〰〰〰

Reconoce quién eres y visualiza tu abundancia.

YO SOY: ______________________________

____

YO TENGO: ______________________________

____

YO ESTOY: ______________________________

____

META DE HOY: ______________________________

____

〰〰〰〰〰〰〰〰〰〰〰〰〰〰〰〰〰〰〰〰

"Yo soy abundancia, me lo merezco, todo se triplica,
todo regresa a mi siempre"

QUE
LO BUENO
SIEMPRE
ME
ACOMPAÑE

@GRAXVIDA

"Que lo bueno siempre me acompañe"

Vacíate de pensamientos y emociones negativas.

YO SUELTO: ______________________________

____

Agradece porque la abundancia ya está contigo.

YO AGRADEZCO: ______________________________

____

Reconoce quién eres y visualiza tu abundancia.

YO SOY: ______________________________

____

YO TENGO: ______________________________

____

YO ESTOY: ______________________________

____

META DE HOY: ______________________________

____

*"Yo soy abundancia, me lo merezco, todo se triplica,
todo regresa a mi siempre"*

"Que lo bueno siempre me acompañe"

Vacíate de pensamientos y emociones negativas.

YO SUELTO: ______________________________

____

Agradece porque la abundancia ya está contigo.

YO AGRADEZCO: ___________________________

____

Reconoce quién eres y visualiza tu abundancia.

YO SOY: _________________________________

____

YO TENGO: _______________________________

____

YO ESTOY: _______________________________

____

META DE HOY: ____________________________

____

"Yo soy abundancia, me lo merezco, todo se triplica, todo regresa a mi siempre"

"Que lo bueno siempre me acompañe"

Vacíate de pensamientos y emociones negativas.

YO SUELTO: ______________________________

____

Agradece porque la abundancia ya está contigo.

YO AGRADEZCO: ______________________________

____

Reconoce quién eres y visualiza tu abundancia.

YO SOY: ______________________________

____

YO TENGO: ______________________________

____

YO ESTOY: ______________________________

____

META DE HOY: ______________________________

____

"Yo soy abundancia, me lo merezco, todo se triplica, todo regresa a mi siempre"

"Que lo bueno siempre me acompañe"

Vacíate de pensamientos y emociones negativas.

YO SUELTO: ______________________________

____

Agradece porque la abundancia ya está contigo.

YO AGRADEZCO: ______________________________

____

Reconoce quién eres y visualiza tu abundancia.

YO SOY: ______________________________

____

YO TENGO: ______________________________

____

YO ESTOY: ______________________________

____

META DE HOY: ______________________________

____

"Yo soy abundancia, me lo merezco, todo se triplica, todo regresa a mi siempre"

"Que lo bueno siempre me acompañe"

Vacíate de pensamientos y emociones negativas.

YO SUELTO: ______________________________

____

Agradece porque la abundancia ya está contigo.

YO AGRADEZCO: ______________________________

____

Reconoce quién eres y visualiza tu abundancia.

YO SOY: ______________________________

____

YO TENGO: ______________________________

____

YO ESTOY: ______________________________

____

META DE HOY: ______________________________

____

"Yo soy abundancia, me lo merezco, todo se triplica,
todo regresa a mi siempre"

El destino es mi cómplice
@GRAXVIDA

"El destino es mi cómplice"

Vacíate de pensamientos y emociones negativas.

YO SUELTO: ______________________________

____

Agradece porque la abundancia ya está contigo.

YO AGRADEZCO: ______________________________

____

Reconoce quién eres y visualiza tu abundancia.

YO SOY: ______________________________

____

YO TENGO: ______________________________

____

YO ESTOY: ______________________________

____

META DE HOY: ______________________________

____

"Yo soy abundancia, me lo merezco, todo se triplica, todo regresa a mi siempre"

"El destino es mi cómplice"

Vacíate de pensamientos y emociones negativas.

YO SUELTO: ____________________________________

____

Agradece porque la abundancia ya está contigo.

YO AGRADEZCO: ________________________________

____

Reconoce quién eres y visualiza tu abundancia.

YO SOY: ______________________________________

____

YO TENGO: ____________________________________

____

YO ESTOY: ____________________________________

____

META DE HOY: _________________________________

____

"Yo soy abundancia, me lo merezco, todo se triplica, todo regresa a mi siempre"

"El destino es mi cómplice"

Vacíate de pensamientos y emociones negativas.

YO SUELTO: ______________________________

____

Agradece porque la abundancia ya está contigo.

YO AGRADEZCO: ___________________________

____

Reconoce quién eres y visualiza tu abundancia.

YO SOY: ________________________________

____

YO TENGO: ______________________________

____

YO ESTOY: ______________________________

____

META DE HOY: ____________________________

____

"Yo soy abundancia, me lo merezco, todo se triplica, todo regresa a mi siempre"

TIP 5

QUE LA ANSIEDAD
Y LA PRESIÓN SOCIAL
NO TE DETENGAN

ABRAZA TUS SUEÑOS

Y AVANZA HACIA
ELLOS ¡TÚ ERES
SUFICIENTE Y
PUEDES CON ESO
Y MÁS

"El destino es mi cómplice"

Vacíate de pensamientos y emociones negativas.

YO SUELTO: ______________________

____

Agradece porque la abundancia ya está contigo.

YO AGRADEZCO: ______________________

____

Reconoce quién eres y visualiza tu abundancia.

YO SOY: ______________________

____

YO TENGO: ______________________

____

YO ESTOY: ______________________

____

META DE HOY: ______________________

____

"Yo soy abundancia, me lo merezco, todo se triplica,
todo regresa a mi siempre"

"El destino es mi cómplice"

Vacíate de pensamientos y emociones negativas.

YO SUELTO: ______________________

____

Agradece porque la abundancia ya está contigo.

YO AGRADEZCO: ______________________

____

Reconoce quién eres y visualiza tu abundancia.

YO SOY: ______________________

____

YO TENGO: ______________________

____

YO ESTOY: ______________________

____

META DE HOY: ______________________

____

"Yo soy abundancia, me lo merezco, todo se triplica,
todo regresa a mi siempre"

ACTIVIDAD 3

"Vida en balance todo a tu alcance"

Dar y recibir es estar en equilibrio, la abundancia no es solo dinero, es atraer todas esas cosas buenas que nos llenan y nos merecemos en la vida. En esta sección vamos a profundizar en los elementos que te acompañan todos los días, las personas que te rodean, tu trabajo, salud y espiritualidad.

Te comparto como yo hago este ejercicio:

 CÍRCULO DE LA ABUNDANCIA 

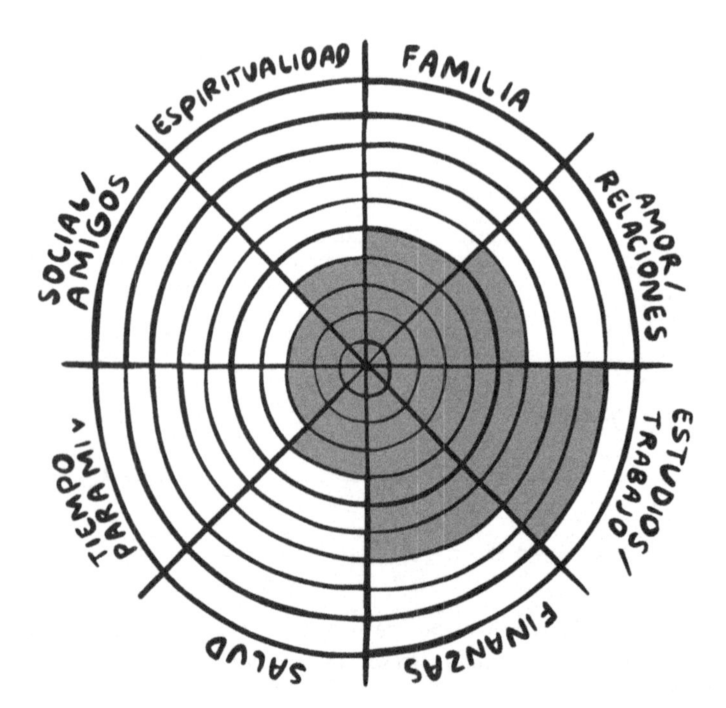

ACTIVIDAD 3

"Vida en balance todo a tu alcance"

Rellena qué tan abundante te consideras en cada uno de los aspecto de tu vida, verifica que haya un balance en todas las áreas y donde notes que no tienes tanta abundancia ¡No te preocupes! estás a tiempo de modificar ciertos hábitos en tu vida para encontrar el equilibrio ideal.

¡Haz un balance y busca sumarle buenas energías a tu vida! Dale equilibrio a tus días y ojooo, siempre evita los excesos.

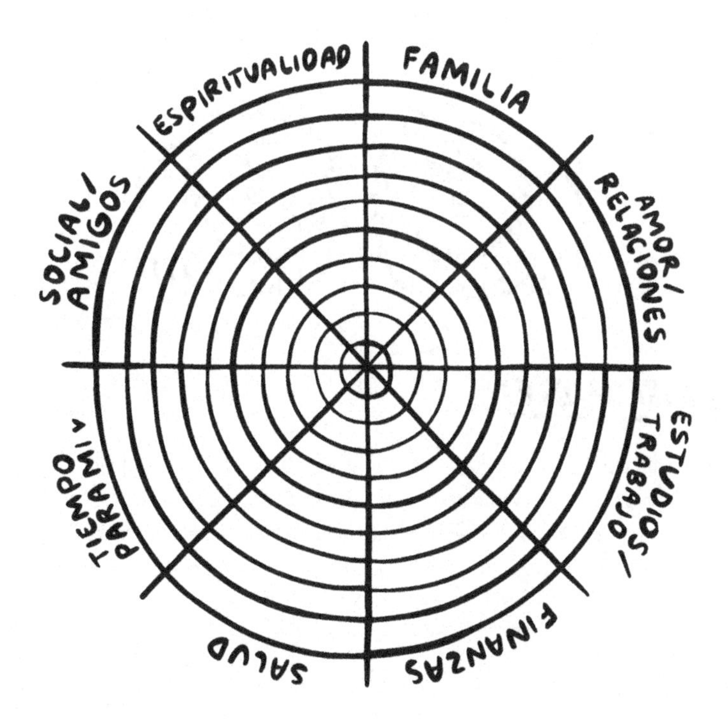

ACTIVIDAD 3

"Vida en balance todo a tu alcance"

→ Si hoy estás a menos del 70% en algún elemento del círculo, te toca enfocarte en atraer y trabajar su abundancia.

→ Si estás súper abundante, con más del 70% en una o más áreas del círculo, recuerda agradecer y decretar que todo se triplique.

PRISCYNOTE:

Recuerda que la abundancia no es magia ni solo dinero, es un trabajo constante de compromiso, perseverancia y metas medibles que te acompañan en el camino hacia lograr todo lo que mereces. No hay vida perfecta, está en ti trabajar siempre en mejorar, dale prioridad a buscar el equilibrio en todo lo que te propongas.

DEJA
ENTRAR LA
ABUNDANCIA
EN TU VIDA
@GRAXVIDA

"Deja entrar la abundancia en tu vida"

Vacíate de pensamientos y emociones negativas.

YO SUELTO: ______________________________

____

Agradece porque la abundancia ya está contigo.

YO AGRADEZCO: ___________________________

____

Reconoce quién eres y visualiza tu abundancia.

YO SOY: ________________________________

____

YO TENGO: ______________________________

____

YO ESTOY: ______________________________

____

META DE HOY: ____________________________

____

"Yo soy abundancia, me lo merezco, todo se triplica, todo regresa a mi siempre"

"Deja entrar la abundancia en tu vida"

Vacíate de pensamientos y emociones negativas.

YO SUELTO: ______________________________

____

Agradece porque la abundancia ya está contigo.

YO AGRADEZCO: ___________________________

____

Reconoce quién eres y visualiza tu abundancia.

YO SOY: ________________________________

____

YO TENGO: ______________________________

____

YO ESTOY: ______________________________

____

META DE HOY: ____________________________

____

"Yo soy abundancia, me lo merezco, todo se triplica,
todo regresa a mi siempre"

"Deja entrar la abundancia en tu vida"

Vacíate de pensamientos y emociones negativas.

YO SUELTO: ______________________________

____

~~~~~~~~~~~~~~~~~~~~~~~~~~~~~~~~~~~~~~

Agradece porque la abundancia ya está contigo.

YO AGRADEZCO: ___________________________

____

~~~~~~~~~~~~~~~~~~~~~~~~~~~~~~~~~~~~~~

Reconoce quién eres y visualiza tu abundancia.

YO SOY: _________________________________

____

YO TENGO: _______________________________

____

YO ESTOY: _______________________________

____

META DE HOY: ____________________________

____

~~~~~~~~~~~~~~~~~~~~~~~~~~~~~~~~~~~~~~

"Yo soy abundancia, me lo merezco, todo se triplica,
todo regresa a mi siempre"

~~~~~~~~~~~~~~~~~~~~~~~~~~~~~~~~~~~~~~

"Deja entrar la abundancia en tu vida"

Vacíate de pensamientos y emociones negativas.

YO SUELTO: ____________________

____

Agradece porque la abundancia ya está contigo.

YO AGRADEZCO: ____________________

____

Reconoce quién eres y visualiza tu abundancia.

YO SOY: ____________________

____

YO TENGO: ____________________

____

YO ESTOY: ____________________

____

META DE HOY: ____________________

____

"Yo soy abundancia, me lo merezco, todo se triplica,
todo regresa a mi siempre"

"Deja entrar la abundancia en tu vida"

Vacíate de pensamientos y emociones negativas.

YO SUELTO: ______________________

____

Agradece porque la abundancia ya está contigo.

YO AGRADEZCO: ______________________

____

Reconoce quién eres y visualiza tu abundancia.

YO SOY: ______________________

____

YO TENGO: ______________________

____

YO ESTOY: ______________________

____

META DE HOY: ______________________

____

"Yo soy abundancia, me lo merezco, todo se triplica, todo regresa a mi siempre"

DOY MUCHO PORQUE SOY MUCHO
@GRAXVIDA

"Doy mucho por que soy mucho"

Vacíate de pensamientos y emociones negativas.

YO SUELTO: ______________________

____

Agradece porque la abundancia ya está contigo.

YO AGRADEZCO: ______________________

____

Reconoce quién eres y visualiza tu abundancia.

YO SOY: ______________________

____

YO TENGO: ______________________

____

YO ESTOY: ______________________

____

META DE HOY: ______________________

____

"Yo soy abundancia, me lo merezco, todo se triplica, todo regresa a mi siempre"

"Doy mucho por que soy mucho"

Vacíate de pensamientos y emociones negativas.

YO SUELTO: ______________________________

____

Agradece porque la abundancia ya está contigo.

YO AGRADEZCO: ______________________________

____

Reconoce quién eres y visualiza tu abundancia.

YO SOY: ______________________________

____

YO TENGO: ______________________________

____

YO ESTOY: ______________________________

____

META DE HOY: ______________________________

____

"Yo soy abundancia, me lo merezco, todo se triplica, todo regresa a mi siempre"

"Doy mucho por que soy mucho"

Vacíate de pensamientos y emociones negativas.

YO SUELTO: ______________________________

____

Agradece porque la abundancia ya está contigo.

YO AGRADEZCO: ___________________________

____

Reconoce quién eres y visualiza tu abundancia.

YO SOY: _________________________________

____

YO TENGO: _______________________________

____

YO ESTOY: _______________________________

____

META DE HOY: ____________________________

____

"Yo soy abundancia, me lo merezco, todo se triplica,
todo regresa a mi siempre"

"Doy mucho por que soy mucho"

Vacíate de pensamientos y emociones negativas.

YO SUELTO: ______________________________

____

Agradece porque la abundancia ya está contigo.

YO AGRADEZCO: ___________________________

____

Reconoce quién eres y visualiza tu abundancia.

YO SOY: ________________________________

____

YO TENGO: ______________________________

____

YO ESTOY: ______________________________

____

META DE HOY: ____________________________

____

"Yo soy abundancia, me lo merezco, todo se triplica,
todo regresa a mi siempre"

"Doy mucho por que soy mucho"

Vacíate de pensamientos y emociones negativas.

YO SUELTO: ______________________________

____

Agradece porque la abundancia ya está contigo.

YO AGRADEZCO: ______________________________

____

Reconoce quién eres y visualiza tu abundancia.

YO SOY: ______________________________

____

YO TENGO: ______________________________

____

YO ESTOY: ______________________________

____

META DE HOY: ______________________________

____

"Yo soy abundancia, me lo merezco, todo se triplica,
todo regresa a mi siempre"

SE VALE
CONSENTIRTE
PORQUE
LO HAS
TRABAJADO
@GRAXVIDA

"Se vale consentirte por que lo has trabajado"

Vacíate de pensamientos y emociones negativas.

YO SUELTO: ______________________________

____

Agradece porque la abundancia ya está contigo.

YO AGRADEZCO: ______________________________

____

Reconoce quién eres y visualiza tu abundancia.

YO SOY: ______________________________

____

YO TENGO: ______________________________

____

YO ESTOY: ______________________________

____

META DE HOY: ______________________________

____

"Yo soy abundancia, me lo merezco, todo se triplica, todo regresa a mi siempre"

"Se vale consentirte por que lo has trabajado"

Vacíate de pensamientos y emociones negativas.

YO SUELTO: ______________________________

____

Agradece porque la abundancia ya está contigo.

YO AGRADEZCO: ______________________________

____

Reconoce quién eres y visualiza tu abundancia.

YO SOY: ______________________________

____

YO TENGO: ______________________________

____

YO ESTOY: ______________________________

____

META DE HOY: ______________________________

____

"Yo soy abundancia, me lo merezco, todo se triplica,
todo regresa a mi siempre"

"Se vale consentirte por que lo has trabajado"

Vacíate de pensamientos y emociones negativas.

YO SUELTO: ______________________________

____

Agradece porque la abundancia ya está contigo.

YO AGRADEZCO: ______________________________

____

Reconoce quién eres y visualiza tu abundancia.

YO SOY: ______________________________

____

YO TENGO: ______________________________

____

YO ESTOY: ______________________________

____

META DE HOY: ______________________________

____

"Yo soy abundancia, me lo merezco, todo se triplica, todo regresa a mi siempre"

"Se vale consentirte por que lo has trabajado"

Vacíate de pensamientos y emociones negativas.

YO SUELTO: ______________________

____

Agradece porque la abundancia ya está contigo.

YO AGRADEZCO: ______________________

____

Reconoce quién eres y visualiza tu abundancia.

YO SOY: ______________________

____

YO TENGO: ______________________

____

YO ESTOY: ______________________

____

META DE HOY: ______________________

____

"Yo soy abundancia, me lo merezco, todo se triplica, todo regresa a mi siempre"

"Se vale consentirte por que lo has trabajado"

Vacíate de pensamientos y emociones negativas.

YO SUELTO: ______________________________

____

Agradece porque la abundancia ya está contigo.

YO AGRADEZCO: ___________________________

____

Reconoce quién eres y visualiza tu abundancia.

YO SOY: ________________________________

____

YO TENGO: ______________________________

____

YO ESTOY: ______________________________

____

META DE HOY: ____________________________

____

"Yo soy abundancia, me lo merezco, todo se triplica, todo regresa a mi siempre"

LA
VIDA
ES PARA
VIVIRLA
@GRAXVIDA

"La vida es para vivirla"

Vacíate de pensamientos y emociones negativas.

YO SUELTO: ______________________________

____

Agradece porque la abundancia ya está contigo.

YO AGRADEZCO: ______________________________

____

Reconoce quién eres y visualiza tu abundancia.

YO SOY: ______________________________

____

YO TENGO: ______________________________

____

YO ESTOY: ______________________________

____

META DE HOY: ______________________________

____

"Yo soy abundancia, me lo merezco, todo se triplica, todo regresa a mi siempre"

"La vida es para vivirla"

Vacíate de pensamientos y emociones negativas.

YO SUELTO: ______________________________

____

Agradece porque la abundancia ya está contigo.

YO AGRADEZCO: ______________________________

____

Reconoce quién eres y visualiza tu abundancia.

YO SOY: ______________________________

____

YO TENGO: ______________________________

____

YO ESTOY: ______________________________

____

META DE HOY: ______________________________

____

"Yo soy abundancia, me lo merezco, todo se triplica, todo regresa a mi siempre"

"La vida es para vivirla"

Vacíate de pensamientos y emociones negativas.

YO SUELTO: ______________________________

____

Agradece porque la abundancia ya está contigo.

YO AGRADEZCO: ___________________________

____

Reconoce quién eres y visualiza tu abundancia.

YO SOY: ________________________________

____

YO TENGO: ______________________________

____

YO ESTOY: ______________________________

____

META DE HOY: ___________________________

____

"Yo soy abundancia, me lo merezco, todo se triplica,
todo regresa a mi siempre"

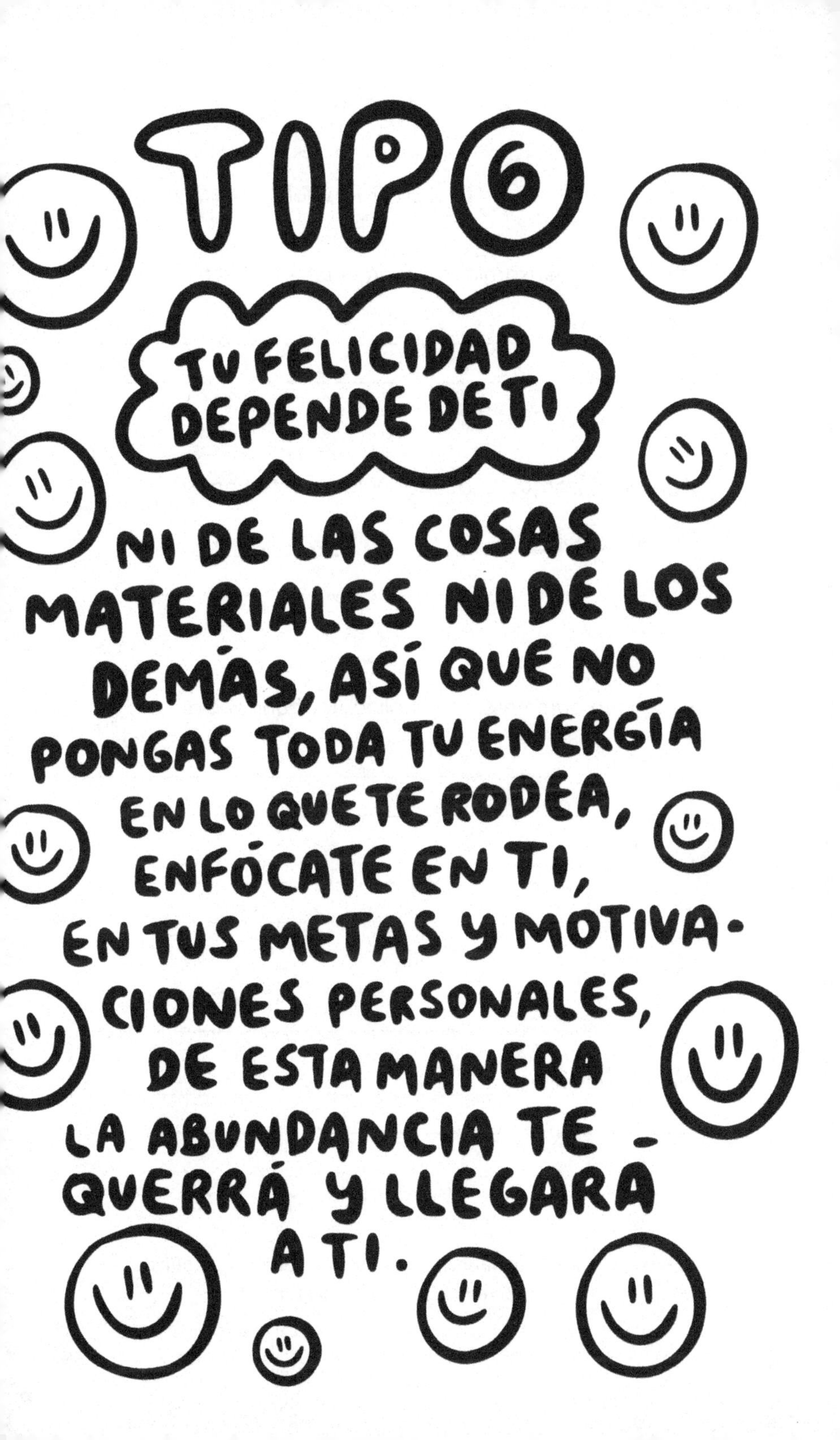
TIP 6
TU FELICIDAD DEPENDE DE TI
NI DE LAS COSAS MATERIALES NI DE LOS DEMÁS, ASÍ QUE NO PONGAS TODA TU ENERGÍA EN LO QUE TE RODEA, ENFÓCATE EN TI, EN TUS METAS Y MOTIVACIONES PERSONALES, DE ESTA MANERA LA ABUNDANCIA TE QUERRÁ Y LLEGARA A TI.

"La vida es para vivirla"

Vacíate de pensamientos y emociones negativas.

YO SUELTO: ______________________________

____

Agradece porque la abundancia ya está contigo.

YO AGRADEZCO: ______________________________

____

Reconoce quién eres y visualiza tu abundancia.

YO SOY: ______________________________

____

YO TENGO: ______________________________

____

YO ESTOY: ______________________________

____

META DE HOY: ______________________________

____

"Yo soy abundancia, me lo merezco, todo se triplica, todo regresa a mi siempre"

"La vida es para vivirla"

Vacíate de pensamientos y emociones negativas.

YO SUELTO: ______________________________

____

~~~~~~~~~~~~~~~~~~~~~~~~~~~~~~~~~~~~~~

Agradece porque la abundancia ya está contigo.

YO AGRADEZCO: ___________________________

____

~~~~~~~~~~~~~~~~~~~~~~~~~~~~~~~~~~~~~~

Reconoce quién eres y visualiza tu abundancia.

YO SOY: ________________________________

____

YO TENGO: ______________________________

____

YO ESTOY: ______________________________

____

META DE HOY: ____________________________

____

~~~~~~~~~~~~~~~~~~~~~~~~~~~~~~~~~~~~~~

"Yo soy abundancia, me lo merezco, todo se triplica,
todo regresa a mi siempre"

~~~~~~~~~~~~~~~~~~~~~~~~~~~~~~~~~~~~~~

"La vida es para vivirla"

Vacíate de pensamientos y emociones negativas.

YO SUELTO: ______________________________

____

Agradece porque la abundancia ya está contigo.

YO AGRADEZCO: ___________________________

____

Reconoce quién eres y visualiza tu abundancia.

YO SOY: ________________________________

____

YO TENGO: ______________________________

____

YO ESTOY: ______________________________

____

META DE HOY: ____________________________

____

"Yo soy abundancia, me lo merezco, todo se triplica, todo regresa a mi siempre"

HOY
ELIJO
SANAR
APRENDER
AGRADECER
Y CRECER
@GRAXVIDA

"Hoy elijo sanar, aprender, agradecer y crecer"

Vacíate de pensamientos y emociones negativas.

YO SUELTO: ______________________________

____

Agradece porque la abundancia ya está contigo.

YO AGRADEZCO: ______________________________

____

Reconoce quién eres y visualiza tu abundancia.

YO SOY: ______________________________

____

YO TENGO: ______________________________

____

YO ESTOY: ______________________________

____

META DE HOY: ______________________________

____

"Yo soy abundancia, me lo merezco, todo se triplica,
todo regresa a mi siempre"

"Hoy elijo sanar, aprender, agradecer y crecer"

Vacíate de pensamientos y emociones negativas.

YO SUELTO: ______________________________

____

Agradece porque la abundancia ya está contigo.

YO AGRADEZCO: ______________________________

____

Reconoce quién eres y visualiza tu abundancia.

YO SOY: ______________________________

____

YO TENGO: ______________________________

____

YO ESTOY: ______________________________

____

META DE HOY: ______________________________

____

"Yo soy abundancia, me lo merezco, todo se triplica,
todo regresa a mi siempre"

"Hoy elijo sanar, aprender, agradecer y crecer"

Vacíate de pensamientos y emociones negativas.

YO SUELTO: ______________________________

____

Agradece porque la abundancia ya está contigo.

YO AGRADEZCO: ______________________________

____

Reconoce quién eres y visualiza tu abundancia.

YO SOY: ______________________________

____

YO TENGO: ______________________________

____

YO ESTOY: ______________________________

____

META DE HOY: ______________________________

____

"Yo soy abundancia, me lo merezco, todo se triplica, todo regresa a mi siempre"

"Hoy elijo sanar, aprender, agradecer y crecer"

Vacíate de pensamientos y emociones negativas.

YO SUELTO: ______________________________

____

Agradece porque la abundancia ya está contigo.

YO AGRADEZCO: ______________________________

____

Reconoce quién eres y visualiza tu abundancia.

YO SOY: ______________________________

____

YO TENGO: ______________________________

____

YO ESTOY: ______________________________

____

META DE HOY: ______________________________

____

"Yo soy abundancia, me lo merezco, todo se triplica, todo regresa a mi siempre"

"Hoy elijo sanar, aprender, agradecer y crecer"

Vacíate de pensamientos y emociones negativas.

YO SUELTO: ______________________________

____

Agradece porque la abundancia ya está contigo.

YO AGRADEZCO: __________________________

____

Reconoce quién eres y visualiza tu abundancia.

YO SOY: ________________________________

____

YO TENGO: ______________________________

____

YO ESTOY: ______________________________

____

META DE HOY: ___________________________

____

"Yo soy abundancia, me lo merezco, todo se triplica, todo regresa a mi siempre"

O SE GANA

O SE APRENDE

PERO NUNCA

↖ JAMÁS

@GRAXVIDA

SE PIERDE

"O se gana o se aprende, pero nunca se pierde"

Vacíate de pensamientos y emociones negativas.

YO SUELTO: ______________________________

____

Agradece porque la abundancia ya está contigo.

YO AGRADEZCO: ______________________________

____

Reconoce quién eres y visualiza tu abundancia.

YO SOY: ______________________________

____

YO TENGO: ______________________________

____

YO ESTOY: ______________________________

____

META DE HOY: ______________________________

____

"Yo soy abundancia, me lo merezco, todo se triplica, todo regresa a mi siempre"

"O se gana o se aprende, pero nunca se pierde"

Vacíate de pensamientos y emociones negativas.

YO SUELTO: ______________________________

____

Agradece porque la abundancia ya está contigo.

YO AGRADEZCO: ___________________________

____

Reconoce quién eres y visualiza tu abundancia.

YO SOY: ________________________________

____

YO TENGO: ______________________________

____

YO ESTOY: ______________________________

____

META DE HOY: ___________________________

____

"Yo soy abundancia, me lo merezco, todo se triplica,
todo regresa a mi siempre"

"O se gana o se aprende, pero nunca se pierde"

Vacíate de pensamientos y emociones negativas.

YO SUELTO: ______________________________

____

Agradece porque la abundancia ya está contigo.

YO AGRADEZCO: ______________________________

____

Reconoce quién eres y visualiza tu abundancia.

YO SOY: ______________________________

____

YO TENGO: ______________________________

____

YO ESTOY: ______________________________

____

META DE HOY: ______________________________

____

"Yo soy abundancia, me lo merezco, todo se triplica,
todo regresa a mi siempre"

"O se gana o se aprende, pero nunca se pierde"

Vacíate de pensamientos y emociones negativas.

YO SUELTO: ______________________________

____

Agradece porque la abundancia ya está contigo.

YO AGRADEZCO: ______________________________

____

Reconoce quién eres y visualiza tu abundancia.

YO SOY: ______________________________

____

YO TENGO: ______________________________

____

YO ESTOY: ______________________________

____

META DE HOY: ______________________________

____

"Yo soy abundancia, me lo merezco, todo se triplica,
todo regresa a mi siempre"

"O se gana o se aprende, pero nunca se pierde"

Vacíate de pensamientos y emociones negativas.

YO SUELTO: ____________________

____

Agradece porque la abundancia ya está contigo.

YO AGRADEZCO: ____________________

____

Reconoce quién eres y visualiza tu abundancia.

YO SOY: ____________________

____

YO TENGO: ____________________

____

YO ESTOY: ____________________

____

META DE HOY: ____________________

____

"Yo soy abundancia, me lo merezco, todo se triplica,
todo regresa a mi siempre"

FLORECE
QUE ERES
FUERTE

@GRAXVIDA

"Florece que eres fuerte"

Vacíate de pensamientos y emociones negativas.

YO SUELTO: ______________________

____

Agradece porque la abundancia ya está contigo.

YO AGRADEZCO: ______________________

____

Reconoce quién eres y visualiza tu abundancia.

YO SOY: ______________________

____

YO TENGO: ______________________

____

YO ESTOY: ______________________

____

META DE HOY: ______________________

____

"Yo soy abundancia, me lo merezco, todo se triplica, todo regresa a mi siempre"

"Florece que eres fuerte"

Vacíate de pensamientos y emociones negativas.

YO SUELTO: ______________________________

____

~~~~~~~~~~~~~~~~~~~~~~~~~~~~~~

Agradece porque la abundancia ya está contigo.

YO AGRADEZCO: ______________________________

____

~~~~~~~~~~~~~~~~~~~~~~~~~~~~~~

Reconoce quién eres y visualiza tu abundancia.

YO SOY: ______________________________

____

YO TENGO: ______________________________

____

YO ESTOY: ______________________________

____

META DE HOY: ______________________________

____

~~~~~~~~~~~~~~~~~~~~~~~~~~~~~~

"Yo soy abundancia, me lo merezco, todo se triplica,
todo regresa a mi siempre"

~~~~~~~~~~~~~~~~~~~~~~~~~~~~~~

"Florece que eres fuerte"

Vacíate de pensamientos y emociones negativas.

YO SUELTO: ______________________________

____

Agradece porque la abundancia ya está contigo.

YO AGRADEZCO: ______________________________

____

Reconoce quién eres y visualiza tu abundancia.

YO SOY: ______________________________

____

YO TENGO: ______________________________

____

YO ESTOY: ______________________________

____

META DE HOY: ______________________________

____

"Yo soy abundancia, me lo merezco, todo se triplica, todo regresa a mi siempre"

"Florece que eres fuerte"

Vacíate de pensamientos y emociones negativas.

YO SUELTO: ______________________________

____

Agradece porque la abundancia ya está contigo.

YO AGRADEZCO: ______________________________

____

Reconoce quién eres y visualiza tu abundancia.

YO SOY: ______________________________

____

YO TENGO: ______________________________

____

YO ESTOY: ______________________________

____

META DE HOY: ______________________________

____

"Yo soy abundancia, me lo merezco, todo se triplica, todo regresa a mi siempre"

"Florece que eres fuerte"

Vacíate de pensamientos y emociones negativas.

YO SUELTO: ______________________________

____

Agradece porque la abundancia ya está contigo.

YO AGRADEZCO: ______________________________

____

Reconoce quién eres y visualiza tu abundancia.

YO SOY: ______________________________

____

YO TENGO: ______________________________

____

YO ESTOY: ______________________________

____

META DE HOY: ______________________________

____

"Yo soy abundancia, me lo merezco, todo se triplica,
todo regresa a mi siempre"

ACTIVIDAD 4

"Yo admiro; personas abundantes en virtudes y actitudes"

Que bonito es ver a personas que trascienden, que inspiran y nos motivan a mejorar.

Hoy te quiero invitar a pensar en esos personajes que admiras y en lo que te transmiten. Se vale si es alguien cercano o algún famoso con el que te identificas, la idea es que plasmemos aquí lo bonito que nos dejan para motivarnos.

PERSONAJE FAMOSO QUE ADMIRO: ____________

____

POR QUÉ LO ADMIRO: ________________________

____

EN QUÉ ME GUSTARÍA PARECERME A ESTA PERSONA: ______________________________

____

Te has preguntado ¿Por qué esta persona llegó a ser abundante?

Estoy segura que este personaje aprovechó una oportunidad, trabajó hacia un objetivo claro o simplemente ama tanto lo que hace que se nota. El universo tiene para nosotros muchos caminos, está en nosotros elegir, disfrutar y vivir con determinación.

ACTIVIDAD 4

"Yo admiro; personas abundantes en virtudes y actitudes"

PERSONAJE CERCANO QUE ME INSPIRA:

____

POR QUÉ ME INSPIRA: ______________________________

____

CONSEJO QUE ESTA PERSONA ME DARÍA O ME HA DADO: ______________________________

____

Tú también puedes ser un modelo de inspiración y reflejo de abundancia. Está en ti trabajar desde el interior hasta alcanzar cada uno de tus objetivos personales.

PRISCYNOTE:

No olvides que eres como las 5 personas con las que más te juntas. Así que rodéate de esas personas que te suman y deja ir a los que no.

LO BUENO
ESTÁ x VENIR
& LO MEJOR
LLEGARÁ PARA
QUEDARSE
@GRAXVIDA

"Lo bueno está por venir y lo mejor llegará para quedarse"

Vacíate de pensamientos y emociones negativas.

YO SUELTO: ______________________________

____

Agradece porque la abundancia ya está contigo.

YO AGRADEZCO: ___________________________

____

Reconoce quién eres y visualiza tu abundancia.

YO SOY: ________________________________

____

YO TENGO: ______________________________

____

YO ESTOY: ______________________________

____

META DE HOY: ____________________________

____

"Yo soy abundancia, me lo merezco, todo se triplica,
todo regresa a mi siempre"

"Lo bueno está por venir y lo mejor llegará para quedarse"

Vacíate de pensamientos y emociones negativas.

YO SUELTO: ______________________________

____

〰〰〰〰〰〰〰〰〰〰〰〰〰〰

Agradece porque la abundancia ya está contigo.

YO AGRADEZCO: ___________________________

____

〰〰〰〰〰〰〰〰〰〰〰〰〰〰

Reconoce quién eres y visualiza tu abundancia.

YO SOY: ________________________________

____

YO TENGO: ______________________________

____

YO ESTOY: ______________________________

____

META DE HOY: ____________________________

____

〰〰〰〰〰〰〰〰〰〰〰〰〰〰

"Yo soy abundancia, me lo merezco, todo se triplica,
todo regresa a mi siempre"

"Lo bueno está por venir y lo mejor llegará para quedarse"

Vacíate de pensamientos y emociones negativas.

YO SUELTO: ______________________________

____

Agradece porque la abundancia ya está contigo.

YO AGRADEZCO: ___________________________

____

Reconoce quién eres y visualiza tu abundancia.

YO SOY: ________________________________

____

YO TENGO: ______________________________

____

YO ESTOY: ______________________________

____

META DE HOY: ____________________________

____

"Yo soy abundancia, me lo merezco, todo se triplica,
todo regresa a mi siempre"

TIP 7

INTENTA SIEMPRE VER EL LADO BUENO DE LAS COSAS

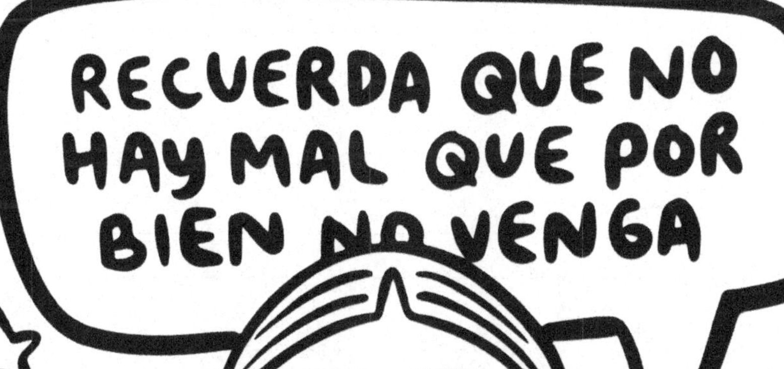

"Lo bueno está por venir y lo mejor llegará para quedarse"

Vacíate de pensamientos y emociones negativas.

YO SUELTO: ______________________________

____

Agradece porque la abundancia ya está contigo.

YO AGRADEZCO: ______________________________

____

Reconoce quién eres y visualiza tu abundancia.

YO SOY: ______________________________

____

YO TENGO: ______________________________

____

YO ESTOY: ______________________________

____

META DE HOY: ______________________________

____

"Yo soy abundancia, me lo merezco, todo se triplica, todo regresa a mi siempre"

"Lo bueno está por venir y lo mejor llegará para quedarse"

Vacíate de pensamientos y emociones negativas.

YO SUELTO: ______________________________

____

Agradece porque la abundancia ya está contigo.

YO AGRADEZCO: ______________________________

____

Reconoce quién eres y visualiza tu abundancia.

YO SOY: ______________________________

____

YO TENGO: ______________________________

____

YO ESTOY: ______________________________

____

META DE HOY: ______________________________

____

*"Yo soy abundancia, me lo merezco, todo se triplica,
todo regresa a mi siempre"*

"Lo bueno está por venir y lo mejor llegará para quedarse"

Vacíate de pensamientos y emociones negativas.

YO SUELTO: ______________________________

____

~~~~~~~~~~~~~~~~~~~~~~~~~~~~~~~~~~~~~~

Agradece porque la abundancia ya está contigo.

YO AGRADEZCO: ___________________________

____

~~~~~~~~~~~~~~~~~~~~~~~~~~~~~~~~~~~~~~

Reconoce quién eres y visualiza tu abundancia.

YO SOY: ________________________________

____

YO TENGO: ______________________________

____

YO ESTOY: ______________________________

____

META DE HOY: ___________________________

____

~~~~~~~~~~~~~~~~~~~~~~~~~~~~~~~~~~~~~~

"Yo soy abundancia, me lo merezco, todo se triplica, todo regresa a mi siempre"

~~~~~~~~~~~~~~~~~~~~~~~~~~~~~~~~~~~~~~

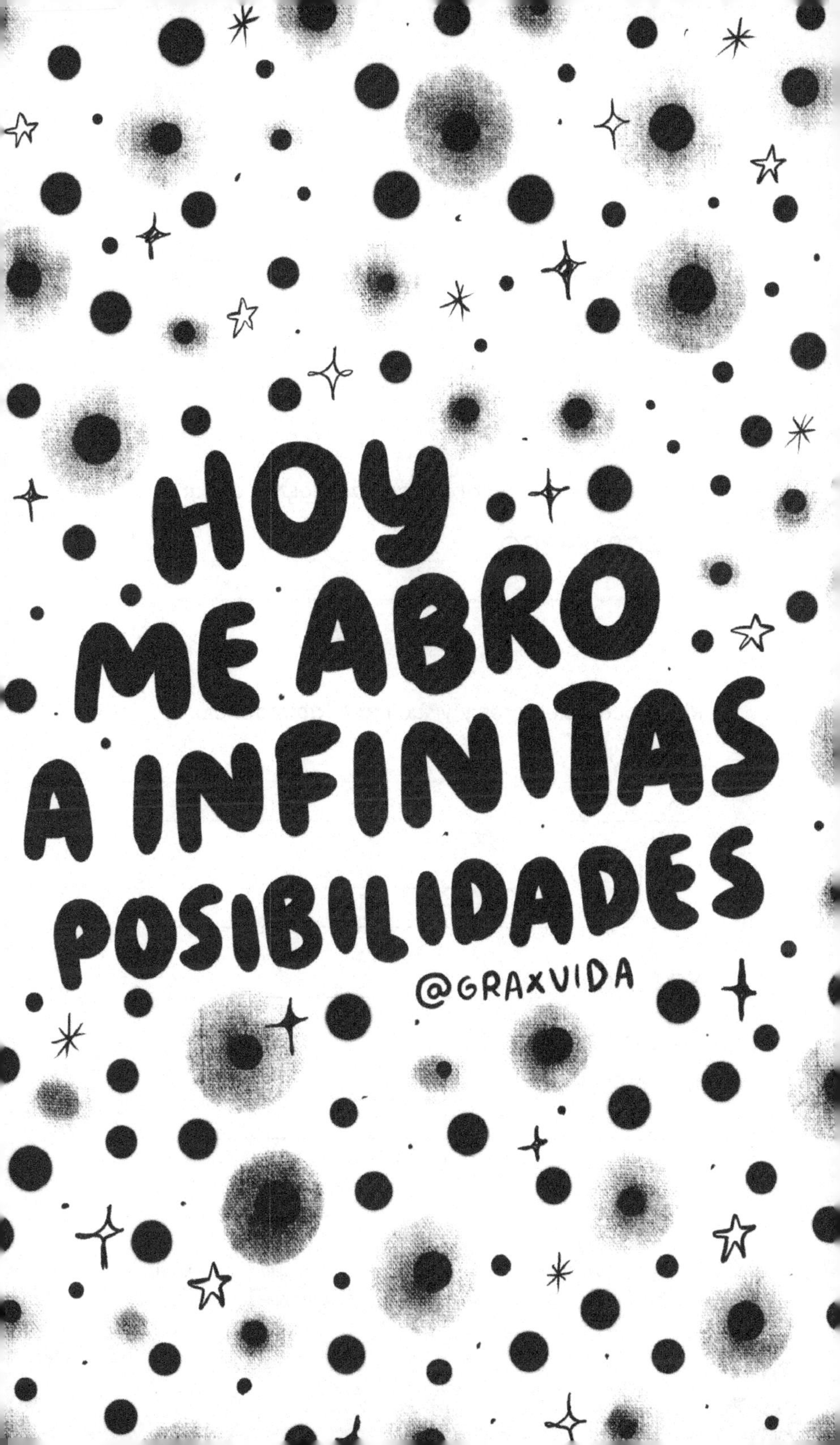
HOY
ME ABRO
A INFINITAS
POSIBILIDADES
@GRAXVIDA

"Hoy me abro a infinitas posibilidades"

Vacíate de pensamientos y emociones negativas.

YO SUELTO: ____________________

____

Agradece porque la abundancia ya está contigo.

YO AGRADEZCO: ____________________

____

Reconoce quién eres y visualiza tu abundancia.

YO SOY: ____________________

____

YO TENGO: ____________________

____

YO ESTOY: ____________________

____

META DE HOY: ____________________

____

"Yo soy abundancia, me lo merezco, todo se triplica,
todo regresa a mi siempre"

"Hoy me abro a infinitas posibilidades"

Vacíate de pensamientos y emociones negativas.

YO SUELTO: ______________________________

____

~~~~~~~~~~~~~~~~~~~~~~~~~~~~~~~~~~~~~~

Agradece porque la abundancia ya está contigo.

YO AGRADEZCO: __________________________

____

~~~~~~~~~~~~~~~~~~~~~~~~~~~~~~~~~~~~~~

Reconoce quién eres y visualiza tu abundancia.

YO SOY: ________________________________

____

YO TENGO: ______________________________

____

YO ESTOY: ______________________________

____

META DE HOY: ___________________________

____

~~~~~~~~~~~~~~~~~~~~~~~~~~~~~~~~~~~~~~

"Yo soy abundancia, me lo merezco, todo se triplica, todo regresa a mi siempre"

~~~~~~~~~~~~~~~~~~~~~~~~~~~~~~~~~~~~~~

"Hoy me abro a infinitas posibilidades"

Vacíate de pensamientos y emociones negativas.

YO SUELTO: ______________________________

____

Agradece porque la abundancia ya está contigo.

YO AGRADEZCO: ______________________________

____

Reconoce quién eres y visualiza tu abundancia.

YO SOY: ______________________________

____

YO TENGO: ______________________________

____

YO ESTOY: ______________________________

____

META DE HOY: ______________________________

____

"Yo soy abundancia, me lo merezco, todo se triplica, todo regresa a mi siempre"

“Hoy me abro a infinitas posibilidades”

Vacíate de pensamientos y emociones negativas.

YO SUELTO: ______________________________

____

Agradece porque la abundancia ya está contigo.

YO AGRADEZCO: ______________________________

____

Reconoce quién eres y visualiza tu abundancia.

YO SOY: ______________________________

____

YO TENGO: ______________________________

____

YO ESTOY: ______________________________

____

META DE HOY: ______________________________

____

“Yo soy abundancia, me lo merezco, todo se triplica, todo regresa a mi siempre”

"Hoy me abro a infinitas posibilidades"

Vacíate de pensamientos y emociones negativas.

YO SUELTO: ______________________________

____

Agradece porque la abundancia ya está contigo.

YO AGRADEZCO: ___________________________

____

Reconoce quién eres y visualiza tu abundancia.

YO SOY: ________________________________

____

YO TENGO: ______________________________

____

YO ESTOY: ______________________________

____

META DE HOY: ___________________________

____

"Yo soy abundancia, me lo merezco, todo se triplica,
todo regresa a mi siempre"

MEREZCO TODA LA
FELICIDAD DEL MUNDO
@GRAXVIDA_

"Merezco toda la felicidad del mundo"

Vacíate de pensamientos y emociones negativas.

YO SUELTO: ______________________

____

Agradece porque la abundancia ya está contigo.

YO AGRADEZCO: ______________________

____

Reconoce quién eres y visualiza tu abundancia.

YO SOY: ______________________

____

YO TENGO: ______________________

____

YO ESTOY: ______________________

____

META DE HOY: ______________________

____

"Yo soy abundancia, me lo merezco, todo se triplica, todo regresa a mi siempre"

"Merezco toda la felicidad del mundo"

Vacíate de pensamientos y emociones negativas.

YO SUELTO: ____________________

____

Agradece porque la abundancia ya está contigo.

YO AGRADEZCO: ____________________

____

Reconoce quién eres y visualiza tu abundancia.

YO SOY: ____________________

____

YO TENGO: ____________________

____

YO ESTOY: ____________________

____

META DE HOY: ____________________

____

"Yo soy abundancia, me lo merezco, todo se triplica,
todo regresa a mi siempre"

"Merezco toda la felicidad del mundo"

Vacíate de pensamientos y emociones negativas.

YO SUELTO: ______________________

____

Agradece porque la abundancia ya está contigo.

YO AGRADEZCO: ______________________

____

Reconoce quién eres y visualiza tu abundancia.

YO SOY: ______________________

____

YO TENGO: ______________________

____

YO ESTOY: ______________________

____

META DE HOY: ______________________

____

"Yo soy abundancia, me lo merezco, todo se triplica,
todo regresa a mi siempre"

"Merezco toda la felicidad del mundo"

Vacíate de pensamientos y emociones negativas.

YO SUELTO: ______________________________

____

Agradece porque la abundancia ya está contigo.

YO AGRADEZCO: ___________________________

____

Reconoce quién eres y visualiza tu abundancia.

YO SOY: ________________________________

____

YO TENGO: ______________________________

____

YO ESTOY: ______________________________

____

META DE HOY: ____________________________

____

"Yo soy abundancia, me lo merezco, todo se triplica,
todo regresa a mi siempre"

"Merezco toda la felicidad del mundo"

Vacíate de pensamientos y emociones negativas.

YO SUELTO: ______________________________

____

~~~~~~

Agradece porque la abundancia ya está contigo.

YO AGRADEZCO: ___________________________

____

~~~~~~

Reconoce quién eres y visualiza tu abundancia.

YO SOY: _________________________________

____

YO TENGO: _______________________________

____

YO ESTOY: _______________________________

____

META DE HOY: ____________________________

____

~~~~~~

"Yo soy abundancia, me lo merezco, todo se triplica,
todo regresa a mi siempre"

~~~~~~

MEREZCO
LO QUE
SUEÑO
@GRAXVIDA

"Merezco lo que sueño"

Vacíate de pensamientos y emociones negativas.

YO SUELTO: ______________________________

____

Agradece porque la abundancia ya está contigo.

YO AGRADEZCO: ______________________________

____

Reconoce quién eres y visualiza tu abundancia.

YO SOY: ______________________________

____

YO TENGO: ______________________________

____

YO ESTOY: ______________________________

____

META DE HOY: ______________________________

____

"Yo soy abundancia, me lo merezco, todo se triplica,
todo regresa a mi siempre"

"Merezco lo que sueño"

Vacíate de pensamientos y emociones negativas.

YO SUELTO: ______________________________

____

Agradece porque la abundancia ya está contigo.

YO AGRADEZCO: ______________________________

____

Reconoce quién eres y visualiza tu abundancia.

YO SOY: ______________________________

____

YO TENGO: ______________________________

____

YO ESTOY: ______________________________

____

META DE HOY: ______________________________

____

"Yo soy abundancia, me lo merezco, todo se triplica,
todo regresa a mi siempre"

"Merezco lo que sueño"

Vacíate de pensamientos y emociones negativas.

YO SUELTO: ______________________________

____

Agradece porque la abundancia ya está contigo.

YO AGRADEZCO: ___________________________

____

Reconoce quién eres y visualiza tu abundancia.

YO SOY: ________________________________

____

YO TENGO: ______________________________

____

YO ESTOY: ______________________________

____

META DE HOY: ____________________________

____

"Yo soy abundancia, me lo merezco, todo se triplica, todo regresa a mi siempre"

"Merezco lo que sueño"

Vacíate de pensamientos y emociones negativas.

YO SUELTO: ______________________________

____

Agradece porque la abundancia ya está contigo.

YO AGRADEZCO: ______________________________

____

Reconoce quién eres y visualiza tu abundancia.

YO SOY: ______________________________

____

YO TENGO: ______________________________

____

YO ESTOY: ______________________________

____

META DE HOY: ______________________________

____

"Yo soy abundancia, me lo merezco, todo se triplica, todo regresa a mi siempre"

"Merezco lo que sueño"

Vacíate de pensamientos y emociones negativas.

YO SUELTO: ______________________________

____

Agradece porque la abundancia ya está contigo.

YO AGRADEZCO: ______________________________

____

Reconoce quién eres y visualiza tu abundancia.

YO SOY: ______________________________

____

YO TENGO: ______________________________

____

YO ESTOY: ______________________________

____

META DE HOY: ______________________________

____

"Yo soy abundancia, me lo merezco, todo se triplica, todo regresa a mi siempre"

EL PODER
DE SER
FELIZ
ESTÁ DENTRO
DE MÍ
@GRAXVIDA

"El poder de ser feliz está dentro de mi"

Vacíate de pensamientos y emociones negativas.

YO SUELTO: ______________________________

____

Agradece porque la abundancia ya está contigo.

YO AGRADEZCO: ______________________________

____

Reconoce quién eres y visualiza tu abundancia.

YO SOY: ______________________________

____

YO TENGO: ______________________________

____

YO ESTOY: ______________________________

____

META DE HOY: ______________________________

____

"Yo soy abundancia, me lo merezco, todo se triplica, todo regresa a mi siempre"

"El poder de ser feliz está dentro de mi"

Vacíate de pensamientos y emociones negativas.

YO SUELTO: ______________________________

____

Agradece porque la abundancia ya está contigo.

YO AGRADEZCO: ______________________________

____

Reconoce quién eres y visualiza tu abundancia.

YO SOY: ______________________________

____

YO TENGO: ______________________________

____

YO ESTOY: ______________________________

____

META DE HOY: ______________________________

____

"Yo soy abundancia, me lo merezco, todo se triplica,
todo regresa a mi siempre"

"El poder de ser feliz está dentro de mi"

Vacíate de pensamientos y emociones negativas.

YO SUELTO: ______________________________

____

Agradece porque la abundancia ya está contigo.

YO AGRADEZCO: ___________________________

____

Reconoce quién eres y visualiza tu abundancia.

YO SOY: ________________________________

____

YO TENGO: ______________________________

____

YO ESTOY: ______________________________

____

META DE HOY: ____________________________

____

"Yo soy abundancia, me lo merezco, todo se triplica,
todo regresa a mi siempre"

"El poder de ser feliz está dentro de mi"

Vacíate de pensamientos y emociones negativas.

YO SUELTO: ______________________________

____

Agradece porque la abundancia ya está contigo.

YO AGRADEZCO: ______________________________

____

Reconoce quién eres y visualiza tu abundancia.

YO SOY: ______________________________

____

YO TENGO: ______________________________

____

YO ESTOY: ______________________________

____

META DE HOY: ______________________________

____

"Yo soy abundancia, me lo merezco, todo se triplica, todo regresa a mi siempre"

"El poder de ser feliz está dentro de mi"

Vacíate de pensamientos y emociones negativas.

YO SUELTO: ______________________________

____

Agradece porque la abundancia ya está contigo.

YO AGRADEZCO: ______________________________

____

Reconoce quién eres y visualiza tu abundancia.

YO SOY: ______________________________

____

YO TENGO: ______________________________

____

YO ESTOY: ______________________________

____

META DE HOY: ______________________________

____

"Yo soy abundancia, me lo merezco, todo se triplica,
todo regresa a mi siempre"

AMO LA
ABUNDANCIA
QUE ME
RODEA
@GRAXVIDA

"Amo la abundancia que me rodea"

Vacíate de pensamientos y emociones negativas.

YO SUELTO: ______________________

____

Agradece porque la abundancia ya está contigo.

YO AGRADEZCO: ______________________

____

Reconoce quién eres y visualiza tu abundancia.

YO SOY: ______________________

____

YO TENGO: ______________________

____

YO ESTOY: ______________________

____

META DE HOY: ______________________

____

"Yo soy abundancia, me lo merezco, todo se triplica, todo regresa a mi siempre"

"Amo la abundancia que me rodea"

Vacíate de pensamientos y emociones negativas.

YO SUELTO: ______________________

____

Agradece porque la abundancia ya está contigo.

YO AGRADEZCO: ______________________

____

Reconoce quién eres y visualiza tu abundancia.

YO SOY: ______________________

____

YO TENGO: ______________________

____

YO ESTOY: ______________________

____

META DE HOY: ______________________

____

"Yo soy abundancia, me lo merezco, todo se triplica, todo regresa a mi siempre"

"Amo la abundancia que me rodea"

Vacíate de pensamientos y emociones negativas.

YO SUELTO: ______________________________

____

Agradece porque la abundancia ya está contigo.

YO AGRADEZCO: ____________________________

____

Reconoce quién eres y visualiza tu abundancia.

YO SOY: ________________________________

____

YO TENGO: ______________________________

____

YO ESTOY: ______________________________

____

META DE HOY: ____________________________

____

"Yo soy abundancia, me lo merezco, todo se triplica, todo regresa a mi siempre"

TIP 8

NO HAY MALA PUBLICIDAD

DEJA QUE EL MUNDO HABLE, TÚ ERES PROTAGONISTA DE TUS ÉXITOS

"Amo la abundancia que me rodea"

Vacíate de pensamientos y emociones negativas.

YO SUELTO: ______________________________

____

Agradece porque la abundancia ya está contigo.

YO AGRADEZCO: ______________________________

____

Reconoce quién eres y visualiza tu abundancia.

YO SOY: ______________________________

____

YO TENGO: ______________________________

____

YO ESTOY: ______________________________

____

META DE HOY: ______________________________

____

"Yo soy abundancia, me lo merezco, todo se triplica, todo regresa a mi siempre"

"Amo la abundancia que me rodea"

Vacíate de pensamientos y emociones negativas.

YO SUELTO: ______________________________

____

Agradece porque la abundancia ya está contigo.

YO AGRADEZCO: ______________________________

____

Reconoce quién eres y visualiza tu abundancia.

YO SOY: ______________________________

____

YO TENGO: ______________________________

____

YO ESTOY: ______________________________

____

META DE HOY: ______________________________

____

"Yo soy abundancia, me lo merezco, todo se triplica, todo regresa a mi siempre"

"Amo la abundancia que me rodea"

Vacíate de pensamientos y emociones negativas.

YO SUELTO: ______________________

____

Agradece porque la abundancia ya está contigo.

YO AGRADEZCO: ______________________

____

Reconoce quién eres y visualiza tu abundancia.

YO SOY: ______________________

____

YO TENGO: ______________________

____

YO ESTOY: ______________________

____

META DE HOY: ______________________

____

"Yo soy abundancia, me lo merezco, todo se triplica, todo regresa a mi siempre"

QUE
DE LO MALO
SE APRENDA
Y QUE LO
BUENO
SIEMPRE SE
TRIPLIQUE
@GRAXVIDA

"Que lo malo se aprenda y que lo bueno siempre se triplique"

Vacíate de pensamientos y emociones negativas.

YO SUELTO: ______________________________

____

Agradece porque la abundancia ya está contigo.

YO AGRADEZCO: ___________________________

____

Reconoce quién eres y visualiza tu abundancia.

YO SOY: ________________________________

____

YO TENGO: ______________________________

____

YO ESTOY: ______________________________

____

META DE HOY: ____________________________

____

"Yo soy abundancia, me lo merezco, todo se triplica, todo regresa a mi siempre"

"Que lo malo se aprenda y que lo bueno siempre se triplique"

Vacíate de pensamientos y emociones negativas.

YO SUELTO: ______________________________

____

Agradece porque la abundancia ya está contigo.

YO AGRADEZCO: ______________________________

____

Reconoce quién eres y visualiza tu abundancia.

YO SOY: ______________________________

____

YO TENGO: ______________________________

____

YO ESTOY: ______________________________

____

META DE HOY: ______________________________

____

"Yo soy abundancia, me lo merezco, todo se triplica, todo regresa a mi siempre"

"Que lo malo se aprenda y que lo bueno siempre se triplique"

Vacíate de pensamientos y emociones negativas.

YO SUELTO: ______________________________

____

Agradece porque la abundancia ya está contigo.

YO AGRADEZCO: ______________________________

____

Reconoce quién eres y visualiza tu abundancia.

YO SOY: ______________________________

____

YO TENGO: ______________________________

____

YO ESTOY: ______________________________

____

META DE HOY: ______________________________

____

"Yo soy abundancia, me lo merezco, todo se triplica,
todo regresa a mi siempre"

"Que lo malo se aprenda y que lo bueno siempre se triplique"

Vacíate de pensamientos y emociones negativas.

YO SUELTO: ______________________________

____

Agradece porque la abundancia ya está contigo.

YO AGRADEZCO: ___________________________

____

Reconoce quién eres y visualiza tu abundancia.

YO SOY: ________________________________

____

YO TENGO: ______________________________

____

YO ESTOY: ______________________________

____

META DE HOY: ____________________________

____

"Yo soy abundancia, me lo merezco, todo se triplica, todo regresa a mi siempre"

"Que lo malo se aprenda y que lo bueno siempre se triplique"

Vacíate de pensamientos y emociones negativas.

YO SUELTO: ______________________________

____

Agradece porque la abundancia ya está contigo.

YO AGRADEZCO: ______________________________

____

Reconoce quién eres y visualiza tu abundancia.

YO SOY: ______________________________

____

YO TENGO: ______________________________

____

YO ESTOY: ______________________________

____

META DE HOY: ______________________________

____

"Yo soy abundancia, me lo merezco, todo se triplica,
todo regresa a mi siempre"

SE ME VA
A DAR,
SE ME VA A
MULTIPLICAR
@GRAXVIDA

"Se me va a dar, se me va a multiplicar"

Vacíate de pensamientos y emociones negativas.

YO SUELTO: ______________________

____

Agradece porque la abundancia ya está contigo.

YO AGRADEZCO: ______________________

____

Reconoce quién eres y visualiza tu abundancia.

YO SOY: ______________________

____

YO TENGO: ______________________

____

YO ESTOY: ______________________

____

META DE HOY: ______________________

____

"Yo soy abundancia, me lo merezco, todo se triplica, todo regresa a mi siempre"

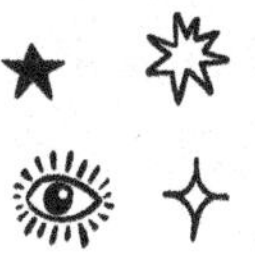

"Se me va a dar, se me va a multiplicar"

Vacíate de pensamientos y emociones negativas.

YO SUELTO: ______________________________

____

Agradece porque la abundancia ya está contigo.

YO AGRADEZCO: ______________________________

____

Reconoce quién eres y visualiza tu abundancia.

YO SOY: ______________________________

____

YO TENGO: ______________________________

____

YO ESTOY: ______________________________

____

META DE HOY: ______________________________

____

"Yo soy abundancia, me lo merezco, todo se triplica, todo regresa a mi siempre"

"Se me va a dar, se me va a multiplicar"

Vacíate de pensamientos y emociones negativas.

YO SUELTO: ______________________________

____

Agradece porque la abundancia ya está contigo.

YO AGRADEZCO: ____________________________

____

Reconoce quién eres y visualiza tu abundancia.

YO SOY: ________________________________

____

YO TENGO: ______________________________

____

YO ESTOY: ______________________________

____

META DE HOY: ____________________________

____

"Yo soy abundancia, me lo merezco, todo se triplica, todo regresa a mi siempre"

"Se me va a dar, se me va a multiplicar"

Vacíate de pensamientos y emociones negativas.

YO SUELTO: ______________________________

____

Agradece porque la abundancia ya está contigo.

YO AGRADEZCO: ______________________________

____

Reconoce quién eres y visualiza tu abundancia.

YO SOY: ______________________________

____

YO TENGO: ______________________________

____

YO ESTOY: ______________________________

____

META DE HOY: ______________________________

____

"Yo soy abundancia, me lo merezco, todo se triplica, todo regresa a mi siempre"

"Se me va a dar, se me va a multiplicar"

Vacíate de pensamientos y emociones negativas.

YO SUELTO: ______________________________

____

Agradece porque la abundancia ya está contigo.

YO AGRADEZCO: ______________________________

____

Reconoce quién eres y visualiza tu abundancia.

YO SOY: ______________________________

____

YO TENGO: ______________________________

____

YO ESTOY: ______________________________

____

META DE HOY: ______________________________

____

"Yo soy abundancia, me lo merezco, todo se triplica, todo regresa a mi siempre"

NADA SE FUERZA,
TODO SE ATRAE.
EL UNIVERSO ESTÁ
CONMIGO PARA
ACOMPAÑARME
@GRAXVIDA

"Nada se fuerza, todo se atrae,
el universo está conmigo para acompañarme"

Vacíate de pensamientos y emociones negativas.

YO SUELTO: ______________________________

____

Agradece porque la abundancia ya está contigo.

YO AGRADEZCO: ______________________________

____

Reconoce quién eres y visualiza tu abundancia.

YO SOY: ______________________________

____

YO TENGO: ______________________________

____

YO ESTOY: ______________________________

____

META DE HOY: ______________________________

____

"Yo soy abundancia, me lo merezco, todo se triplica,
todo regresa a mi siempre"

"Nada se fuerza, todo se atrae,
el universo está conmigo para acompañarme"

Vacíate de pensamientos y emociones negativas.

YO SUELTO: ______________________________

____

Agradece porque la abundancia ya está contigo.

YO AGRADEZCO: ______________________________

____

Reconoce quién eres y visualiza tu abundancia.

YO SOY: ______________________________

____

YO TENGO: ______________________________

____

YO ESTOY: ______________________________

____

META DE HOY: ______________________________

____

"Yo soy abundancia, me lo merezco, todo se triplica,
todo regresa a mi siempre"

"Nada se fuerza, todo se atrae,
el universo está conmigo para acompañarme"

Vacíate de pensamientos y emociones negativas.

YO SUELTO: ______________________

____

Agradece porque la abundancia ya está contigo.

YO AGRADEZCO: ______________________

____

Reconoce quién eres y visualiza tu abundancia.

YO SOY: ______________________

____

YO TENGO: ______________________

____

YO ESTOY: ______________________

____

META DE HOY: ______________________

____

"Yo soy abundancia, me lo merezco, todo se triplica,
todo regresa a mi siempre"

"Nada se fuerza, todo se atrae,
el universo está conmigo para acompañarme"

Vacíate de pensamientos y emociones negativas.

YO SUELTO: ______________________________

____

~~~~~~~~~~~~~~~~~~~~~~~~~~~~~~~~~~

Agradece porque la abundancia ya está contigo.

YO AGRADEZCO: ___________________________

____

~~~~~~~~~~~~~~~~~~~~~~~~~~~~~~~~~~

Reconoce quién eres y visualiza tu abundancia.

YO SOY: _________________________________

____

YO TENGO: _______________________________

____

YO ESTOY: _______________________________

____

META DE HOY: _____________________________

____

~~~~~~~~~~~~~~~~~~~~~~~~~~~~~~~~~~

"Yo soy abundancia, me lo merezco, todo se triplica,
todo regresa a mi siempre"

~~~~~~~~~~~~~~~~~~~~~~~~~~~~~~~~~~

"Nada se fuerza, todo se atrae,
el universo está conmigo para acompañarme"

Vacíate de pensamientos y emociones negativas.

YO SUELTO: ______________________________

____

Agradece porque la abundancia ya está contigo.

YO AGRADEZCO: ______________________________

____

Reconoce quién eres y visualiza tu abundancia.

YO SOY: ______________________________

____

YO TENGO: ______________________________

____

YO ESTOY: ______________________________

____

META DE HOY: ______________________________

____

"Yo soy abundancia, me lo merezco, todo se triplica,
todo regresa a mi siempre"

SI LA ABUNDANCIA CONMIGO, ¡¡NADIE!! CONTRA MÍ

@GRAXVIDA

"Si la abundancia conmigo, nadie contra mí"

Vacíate de pensamientos y emociones negativas.

YO SUELTO: ______________________________

____

Agradece porque la abundancia ya está contigo.

YO AGRADEZCO: ______________________________

____

Reconoce quién eres y visualiza tu abundancia.

YO SOY: ______________________________

____

YO TENGO: ______________________________

____

YO ESTOY: ______________________________

____

META DE HOY: ______________________________

____

"Yo soy abundancia, me lo merezco, todo se triplica,
todo regresa a mi siempre"

"Si la abundancia conmigo, nadie contra mí"

Vacíate de pensamientos y emociones negativas.

YO SUELTO: ____________________________________

____

Agradece porque la abundancia ya está contigo.

YO AGRADEZCO: ________________________________

____

Reconoce quién eres y visualiza tu abundancia.

YO SOY: ______________________________________

____

YO TENGO: ____________________________________

____

YO ESTOY: ____________________________________

____

META DE HOY: _________________________________

____

"Yo soy abundancia, me lo merezco, todo se triplica, todo regresa a mi siempre"

"Si la abundancia conmigo, nadie contra mí"

Vacíate de pensamientos y emociones negativas.

YO SUELTO: ______________________________

____

Agradece porque la abundancia ya está contigo.

YO AGRADEZCO: ______________________________

____

Reconoce quién eres y visualiza tu abundancia.

YO SOY: ______________________________

____

YO TENGO: ______________________________

____

YO ESTOY: ______________________________

____

META DE HOY: ______________________________

____

"Yo soy abundancia, me lo merezco, todo se triplica, todo regresa a mi siempre"

NO
TIP 9
NO
NO
NO
SE VALE DECIR QUE NO
NO
NO
PONER LÍMITES Y PONERTE A TI PRIMERO
NO
NO
NO
no
ON

"Si la abundancia conmigo, nadie contra mi"

Vacíate de pensamientos y emociones negativas.

YO SUELTO: ______________________________

____

Agradece porque la abundancia ya está contigo.

YO AGRADEZCO: ______________________________

____

Reconoce quién eres y visualiza tu abundancia.

YO SOY: ______________________________

____

YO TENGO: ______________________________

____

YO ESTOY: ______________________________

____

META DE HOY: ______________________________

____

"Yo soy abundancia, me lo merezco, todo se triplica, todo regresa a mi siempre"

"Si la abundancia conmigo, nadie contra mí"

Vacíate de pensamientos y emociones negativas.

YO SUELTO: ____________________

____

Agradece porque la abundancia ya está contigo.

YO AGRADEZCO: ____________________

____

Reconoce quién eres y visualiza tu abundancia.

YO SOY: ____________________

____

YO TENGO: ____________________

____

YO ESTOY: ____________________

____

META DE HOY: ____________________

____

"Yo soy abundancia, me lo merezco, todo se triplica, todo regresa a mi siempre"

RODÉATE
DE LO QUE
DESEAS
SER
@GRAXVIDA

“Rodéate de lo que deseas ser”

"Rodéate de lo que deseas ser"

Vacíate de pensamientos y emociones negativas.

YO SUELTO: ______________________________

____

Agradece porque la abundancia ya está contigo.

YO AGRADEZCO: ______________________________

____

Reconoce quién eres y visualiza tu abundancia.

YO SOY: ______________________________

____

YO TENGO: ______________________________

____

YO ESTOY: ______________________________

____

META DE HOY: ______________________________

____

"Yo soy abundancia, me lo merezco, todo se triplica, todo regresa a mi siempre"

"Rodéate de lo que deseas ser"

Vacíate de pensamientos y emociones negativas.

YO SUELTO: ______________________________

____

Agradece porque la abundancia ya está contigo.

YO AGRADEZCO: ___________________________

____

Reconoce quién eres y visualiza tu abundancia.

YO SOY: ________________________________

____

YO TENGO: ______________________________

____

YO ESTOY: ______________________________

____

META DE HOY: ____________________________

____

"Yo soy abundancia, me lo merezco, todo se triplica,
todo regresa a mi siempre"

"Rodéate de lo que deseas ser"

Vacíate de pensamientos y emociones negativas.

YO SUELTO: ______________________

____

Agradece porque la abundancia ya está contigo.

YO AGRADEZCO: ______________________

____

Reconoce quién eres y visualiza tu abundancia.

YO SOY: ______________________

____

YO TENGO: ______________________

____

YO ESTOY: ______________________

____

META DE HOY: ______________________

____

"Yo soy abundancia, me lo merezco, todo se triplica, todo regresa a mi siempre"

Vacíate de pensamientos y emociones negativas.

YO SUELTO: ______________________________

____

Agradece porque la abundancia ya está contigo.

YO AGRADEZCO: ___________________________

____

Reconoce quién eres y visualiza tu abundancia.

YO SOY: ________________________________

____

YO TENGO: ______________________________

____

YO ESTOY: ______________________________

____

META DE HOY: ___________________________

____

"Yo soy abundancia, me lo merezco, todo se triplica, todo regresa a mi siempre"

"Rodéate de lo que deseas ser"

Vacíate de pensamientos y emociones negativas.

YO SUELTO: ______________________________

____

Agradece porque la abundancia ya está contigo.

YO AGRADEZCO: ___________________________

____

Reconoce quién eres y visualiza tu abundancia.

YO SOY: ________________________________

____

YO TENGO: ______________________________

____

YO ESTOY: ______________________________

____

META DE HOY: ____________________________

____

*"Yo soy abundancia, me lo merezco, todo se triplica,
todo regresa a mi siempre"*

TE
MERECES
TODO LO
BUENO
SIEMPRE
@GRAXVIDA

"Te mereces todo lo bueno siempre"

Vacíate de pensamientos y emociones negativas.

YO SUELTO: ______________________________

____

Agradece porque la abundancia ya está contigo.

YO AGRADEZCO: ______________________________

____

Reconoce quién eres y visualiza tu abundancia.

YO SOY: ______________________________

____

YO TENGO: ______________________________

____

YO ESTOY: ______________________________

____

META DE HOY: ______________________________

____

"Yo soy abundancia, me lo merezco, todo se triplica, todo regresa a mi siempre"

"Te mereces todo lo bueno siempre"

Vacíate de pensamientos y emociones negativas.

YO SUELTO: ______________________________

____

Agradece porque la abundancia ya está contigo.

YO AGRADEZCO: ______________________________

____

Reconoce quién eres y visualiza tu abundancia.

YO SOY: ______________________________

____

YO TENGO: ______________________________

____

YO ESTOY: ______________________________

____

META DE HOY: ______________________________

____

"Yo soy abundancia, me lo merezco, todo se triplica,
todo regresa a mi siempre"

"Te mereces todo lo bueno siempre"

Vacíate de pensamientos y emociones negativas.

YO SUELTO: ______________________________

____

Agradece porque la abundancia ya está contigo.

YO AGRADEZCO: __________________________

____

Reconoce quién eres y visualiza tu abundancia.

YO SOY: ________________________________

____

YO TENGO: ______________________________

____

YO ESTOY: ______________________________

____

META DE HOY: ___________________________

____

"Yo soy abundancia, me lo merezco, todo se triplica,
todo regresa a mi siempre"

"Te mereces todo lo bueno siempre"

Vacíate de pensamientos y emociones negativas.

YO SUELTO: ______________________________

____

Agradece porque la abundancia ya está contigo.

YO AGRADEZCO: ______________________________

____

Reconoce quién eres y visualiza tu abundancia.

YO SOY: ______________________________

____

YO TENGO: ______________________________

____

YO ESTOY: ______________________________

____

META DE HOY: ______________________________

____

"Yo soy abundancia, me lo merezco, todo se triplica,
todo regresa a mi siempre"

"Te mereces todo lo bueno siempre"

Vacíate de pensamientos y emociones negativas.

YO SUELTO: ______________________________

____

Agradece porque la abundancia ya está contigo.

YO AGRADEZCO: ______________________________

____

Reconoce quién eres y visualiza tu abundancia.

YO SOY: ______________________________

____

YO TENGO: ______________________________

____

YO ESTOY: ______________________________

____

META DE HOY: ______________________________

____

"Yo soy abundancia, me lo merezco, todo se triplica, todo regresa a mi siempre"

VIBRA EN ABUNDANCIA Y TODO LO BUENO TE ALCANZA
@GRAXVIDA

"Vibra en abundancia y todo lo bueno te alcanza"

Vacíate de pensamientos y emociones negativas.

YO SUELTO: ______________________

____

Agradece porque la abundancia ya está contigo.

YO AGRADEZCO: ______________________

____

Reconoce quién eres y visualiza tu abundancia.

YO SOY: ______________________

____

YO TENGO: ______________________

____

YO ESTOY: ______________________

____

META DE HOY: ______________________

____

"Yo soy abundancia, me lo merezco, todo se triplica, todo regresa a mi siempre"

"Vibra en abundancia y todo lo bueno te alcanza"

Vacíate de pensamientos y emociones negativas.

YO SUELTO: ______________________________

____

~~~~~~~~~~~~~~~~~~~~~~~~~~~~~~

Agradece porque la abundancia ya está contigo.

YO AGRADEZCO: __________________________

____

~~~~~~~~~~~~~~~~~~~~~~~~~~~~~~

Reconoce quién eres y visualiza tu abundancia.

YO SOY: ________________________________

____

YO TENGO: ______________________________

____

YO ESTOY: ______________________________

____

META DE HOY: ___________________________

____

~~~~~~~~~~~~~~~~~~~~~~~~~~~~~~

"Yo soy abundancia, me lo merezco, todo se triplica,
todo regresa a mi siempre"

~~~~~~~~~~~~~~~~~~~~~~~~~~~~~~

"Vibra en abundancia y todo lo bueno te alcanza"

Vacíate de pensamientos y emociones negativas.

YO SUELTO: ____________________

____

~~~~~~~~~~~~~~~~~~~~

Agradece porque la abundancia ya está contigo.

YO AGRADEZCO: ____________________

____

~~~~~~~~~~~~~~~~~~~~

Reconoce quién eres y visualiza tu abundancia.

YO SOY: ____________________

____

YO TENGO: ____________________

____

YO ESTOY: ____________________

____

META DE HOY: ____________________

____

~~~~~~~~~~~~~~~~~~~~

"Yo soy abundancia, me lo merezco, todo se triplica, todo regresa a mi siempre"

~~~~~~~~~~~~~~~~~~~~

"Vibra en abundancia y todo lo bueno te alcanza"

Vacíate de pensamientos y emociones negativas.

YO SUELTO: ______________________________

____

Agradece porque la abundancia ya está contigo.

YO AGRADEZCO: ___________________________

____

Reconoce quién eres y visualiza tu abundancia.

YO SOY: ________________________________

____

YO TENGO: ______________________________

____

YO ESTOY: ______________________________

____

META DE HOY: ____________________________

____

"Yo soy abundancia, me lo merezco, todo se triplica,
todo regresa a mi siempre"

"Vibra en abundancia y todo lo bueno te alcanza"

Vacíate de pensamientos y emociones negativas.

YO SUELTO: ______________________________

____

Agradece porque la abundancia ya está contigo.

YO AGRADEZCO: ______________________________

____

Reconoce quién eres y visualiza tu abundancia.

YO SOY: ______________________________

____

YO TENGO: ______________________________

____

YO ESTOY: ______________________________

____

META DE HOY: ______________________________

____

"Yo soy abundancia, me lo merezco, todo se triplica, todo regresa a mi siempre"

ABRAZA LA ABUNDANCIA Y NUNCA LA SUELTES

@GRAXVIDA

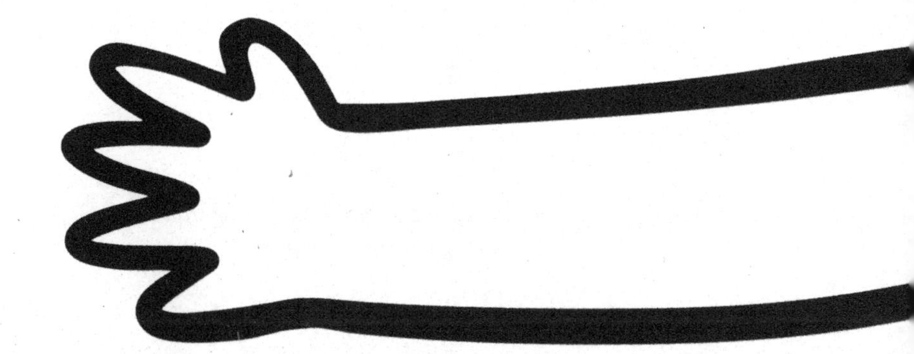

"Abraza la abundancia y nunca la sueltes"

Vacíate de pensamientos y emociones negativas.

YO SUELTO: ______________________________

____

Agradece porque la abundancia ya está contigo.

YO AGRADEZCO: ______________________________

____

Reconoce quién eres y visualiza tu abundancia.

YO SOY: ______________________________

____

YO TENGO: ______________________________

____

YO ESTOY: ______________________________

____

META DE HOY: ______________________________

____

"Yo soy abundancia, me lo merezco, todo se triplica,
todo regresa a mi siempre"

"Abraza la abundancia y nunca la sueltes"

Vacíate de pensamientos y emociones negativas.

YO SUELTO: ____________________________

____

Agradece porque la abundancia ya está contigo.

YO AGRADEZCO: ____________________________

____

Reconoce quién eres y visualiza tu abundancia.

YO SOY: ____________________________

____

YO TENGO: ____________________________

____

YO ESTOY: ____________________________

____

META DE HOY: ____________________________

____

"Yo soy abundancia, me lo merezco, todo se triplica, todo regresa a mi siempre"

"Abraza la abundancia y nunca la sueltes"

Vacíate de pensamientos y emociones negativas.

YO SUELTO: ______________________________

____

Agradece porque la abundancia ya está contigo.

YO AGRADEZCO: ___________________________

____

Reconoce quién eres y visualiza tu abundancia.

YO SOY: ________________________________

____

YO TENGO: ______________________________

____

YO ESTOY: ______________________________

____

META DE HOY: ___________________________

____

"Yo soy abundancia, me lo merezco, todo se triplica, todo regresa a mi siempre"

"Abraza la abundancia y nunca la sueltes"

Vacíate de pensamientos y emociones negativas.

YO SUELTO: ______________________________

____

Agradece porque la abundancia ya está contigo.

YO AGRADEZCO: ______________________________

____

Reconoce quién eres y visualiza tu abundancia.

YO SOY: ______________________________

____

YO TENGO: ______________________________

____

YO ESTOY: ______________________________

____

META DE HOY: ______________________________

____

"Yo soy abundancia, me lo merezco, todo se triplica, todo regresa a mi siempre"

"Abraza la abundancia y nunca la sueltes"

Vacíate de pensamientos y emociones negativas.

YO SUELTO: ______________________________

____

Agradece porque la abundancia ya está contigo.

YO AGRADEZCO: ______________________________

____

Reconoce quién eres y visualiza tu abundancia.

YO SOY: ______________________________

____

YO TENGO: ______________________________

____

YO ESTOY: ______________________________

____

META DE HOY: ______________________________

____

"Yo soy abundancia, me lo merezco, todo se triplica, todo regresa a mi siempre"

ACTIVIDAD 8

"¡Dile hello a la abundancia económica!"

Los 9 Priscy Tips para atraer eso que tanto estás buscando.

¡Ve marcando las casillas de la siguiente lista y sé un PriscyAbundante!

- ☐ **EL DINERO ES TU ALIADO Y AMIGO.**
- ☐ **EL PRESUPUESTO: LA CLAVE DEL ÉXITO.**
- ☐ **INVIERTE EN TI MISMO.**
- ☐ **FAKE IT TILL YOU MAKE IT.**
- ☐ **AFIRMA QUE TODO LLEGA Y ESO TE ENCUENTRA.**
- ☐ **DEJAR IR PARA DEJAR LLEGAR.**
- ☐ **RODÉATE DE GENTE ABUNDANTEMENTE FUERTE.**
- ☐ **EL AHORRO ES LA BASE DE TODO.**

PRISCYNOTE:

Elimina el sentimiento de culpa al gastar, disfrútalo si ya lo tienes y repite conmigo "Soy abundancia, me lo merezco, todo se triplica, todo regresa a mi siempre"

Importante: No te olvides de hacer de esta lista algo tuyo, una actividad para repetir todos los días, para que tu economía sea abundantemente activa y positiva.

TIP 10
TOMA CADA UNA DE LAS OPORTUNIDADES QUE TE HAGAN VIBRAR DE EMOCIÓN
* HAY QUE APRENDER A TOMAR DECISIONES, SABER DISTINGUIR Y APROVECHAR LAS BUENAS OPORTUNIDADES

OPORTU
NIDAD

Wishlist

A mi me sirve mucho escribir eso que anhelo.

El escribir lo que deseamos tiene una energía tan poderosa que atrae mucho más rápido lo que tanto has deseado. Me ha pasado que meses después regreso a mi wish list, leo lo que escribí y me doy cuenta que muchas de las cosas que plasmé hechas están.

Te toca a tí plasmar aquí todo lo que sueñas ya sea algo material, emocional o espiritual. Cualquier idea es válida, no te limites, eres libre de manifestar la abundancia en cualquiera de sus formas.

____

____

____

____

____

____

____

____

¡ERES ABUNDANCIA!

¡Hoy ya conoces más sobre la abundancia, el cómo trabajarla y hacerla más presente en tu vida!

No te olvides de compartirme tus momentos más aesthetics, las frases o ejercicios que te han motivado y lo que has logrado gracias a esta guía.

Recuerda esta guía es tuya y de nadie más, evita compartir con otras personas todo lo que plasmas ya que podrían quitarle energía a tus metas, esto es entre el universo, tu y obvio yo.

Hoy la abundancia y el universo nos han unido para siempre. Que todo lo bueno te siga, te quiera, se triplique y se quede contigo.

Con amor,
@priscyescoto

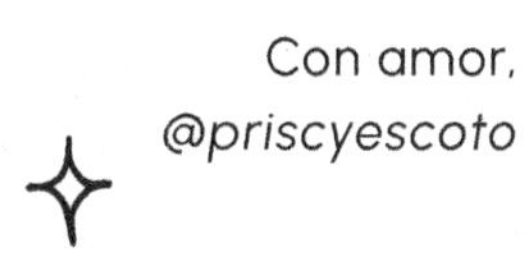

Dirección creativa, diseño
e ilustraciones x Grax Vida

Redacción creativa x Nombrante

Diseño editorial x Majoppuga

Made in the USA
Coppell, TX
24 January 2024